영어는 세계에서 가장 쉬운 언어다

모든 언어에는 일정한 패턴이 있다
전치사에도 일정한 패턴이 있다
전치사는 정확하고 세련된 문장을 만든다

모든 **전치사**를 **설명**하다
Series 1 - on, in

Copyright 2024. 음악의 향기
Published in 2024 by Music Thyme Company

지은이 유현철

펴낸 곳 음악의 향기

표지 디자인 유현철 with AI's help

컴퓨터 인쇄 및 제본 김종기

초판 2024년 4월 10일

등록일 2009년 12월 10일

등록번호 제 2008-5

주소 ; 서울 양천구 목동서로 100 관리동상가 202

대표전화 02-2697-6570

e-mail ; hpenglish@naver.com

ebook 도서 ISBN 97911-93586044 14740

(세트 97911-93586037)

정가 15,000원

저자 유현철

대학에서 컴퓨터를 전공하고 대학원에서 데이터베이스로 석사학위를 받았으며 IT 관련 일에 오랫동안 종사하였고 음악게임 소프트웨어를 개발하여 정통부장관상과 소프웨어진흥원장 상 등을 수상하였다. 영어도서를 비롯 56권의 전자도서를 집필하였다.
영어책은 기초부터 고급과정까지 16권을 집필하였다.
영어 무엇이 문제인가, 영어 기초를 위한 모든 문장들, 한국인을 위한 영문법, 영어의문문 12주에 끝내기, 생활국어 영어로 말하기, 단문장 영작의 모든 것, 복문장 영작의 모든 것, 영어 가정법의 모든 것, 팝송영어 시리즈 5권, 모든 전치사를 말하다 등이다.
특히 현재 영어가정법에 관한 책은 필자의 도서가 유일하다.

2015년에는 영어로 저술한 'Jazz Piano for scientist'를 발표하였다. 2016년 장편 '재즈가 흐르는 그담에서'로 등단하였고 2018년 장편 소설 '음악 중매'를 발표, 2023년 3월 15일 동아일보 신춘문예 공모작 중편 '하루에 두 번 영원한 이별'을 발표하였고 2023년 8월 추리소설 할배청부살견단을 발표하였다.
300곡이 넘는 찬송가의 바이올린과 첼로 편곡을 하였다.

현재 출판사 음악의 향기를 경영하면서 저술활동을 하고 있다.

글쓴이의 말

제일 처음 영어책을 쓰기 시작하면서 총 15종류로 기획해서 기초부터 고급 영어까지 집필하고 최종적으로 '영어 전치사에 관한 책' 그리고 '한국어 조사(어미 포함)와 영어의 관계' 두 종을 남겨놓았다. 많은 연구와 사례가 필요했기 때문에 뒤로 미루다 이제야 비로서 먼저 전치사를 출간하게 되었다. 마지막 남은 한 종류는 한국어 조사와 어미에 관한 책인데 아직 연구가 부족하여 아직 언제 출간될 지 모르겠다. 한국어 조사와 어미에 도서나 연구 논문이 부족하여 어쩌면 영어책보다 이 부분에 대한 연구를 해야 할 지도 모른다.

전치사는 비영어권 국가에서 영어를 공부하는 사람에게 매우 난처한 과제다. 어떤 일정한 패턴을 발견해서 구분하고 정리하기 어려운 면이 있다. 분명 영국이나 미국인은 전치사를 사용할 줄 알 것이다. 많은 대화와 책 읽기를 통해서 전치사를 터득하고 있을 것이다. 외워서 해결되거나 많이 보았기 때문에 저절로 나오는 측면이 있긴 하지만 완전 처음 구사하는 동사나 상황에서 완벽하게 전치사를 사용할 수도 있을 것이다. 이는 자기들은 뭔가 전치사 본래의 의미도 알고 상황적 구사를 할 수 있다는 의미다.

이러한 측면에서 전치사 본래가 갖고 있는 의미나 정확한 의미를 살펴볼 필요가 있다. 그런데 한국어에는 전치사라는 품사가 없기 때문에 더욱 이해가 쉽지 않다. 물론 관사나 관계대명사 그리고 여러 동사의 시제 등도 역시 한국어에 없기 때문에 정확한 파악이 어렵다. 많은 문장을 접해서 깨닫고 어떤 상황에 사용할 줄 알아야 한다. 저절로 입이 터지고 귀가 뚫릴 수 있는 부분이 아니다. 모르는데 저절로 해결될 수 없다. 잘 모르고 사용하면 정확하고 세련된 문장을 만들지 못하고 말할 수도 없고 번역이나 청취할 때도 부정확한 이해를 할 가능성이 높다.

전치사를 분석하고 공부하다가 크게 두가지 분야로 분류하였다. 하나는 한국어의 부사처럼 장소나 위치 등을 표현하고자 하는 '부사적 전치사'가 있고 또 하나는 동사의 뒤에 붙어 동사의 의미를 보다 세분화하고 정확하게 표현하려고 사용되는 '동사를 돕는 전치사'다.

그리고 전치사 뒤에 오는(우리는 흔히 이러한 경우를 전치사의 목적어라고 함) 단어가 일반 보통 명사의 경우 비교적 이해가 쉬운데 추상 명사가 오는 경우는 쉽지 않다. 그래서 전치사의 위치를 기준으로 그 다음에 오는 명사의 종류를 구분하여 정리하였다.

또 하나는 우리가 어떤 사안을 이해할 때 요구되는 것이 사례이다. 실제 문장에서 사용되는 예문을 보면 백 마디 설명보다 이해가 빠를 수도 있다. 설명이 어렵게 들리는 이유는 머리 속에 충분한 예문이 없기 때문이다. 영어문법을 공부할 때 경험한 바 있지만 머리 속에 예문이 많지 않으면 이해가 어렵다. 예문을 많이 알고 있으면 문법은 어렵지 않다. 언어는 발전하는 이유가 반드시 있다. 전달의 정확성,

효율성, 속도 등을 향상 시키려는 속성이 있다.
전치사도 마찬가지다. 그래서 많은 예문을 싣고자 했다. 우선 인공지능을 힘을 빌어 미국에서 가장 많이 사용되는 동사 100개를 선택하였고 그 하나 하나의 동사와 전치사가 같이 사용된 문장을 검색하고 분석하여 거의 1200개가 넘는 영어 예문을 실었다.
이러한 예문들은 전치사를 이해하는데 크게 도움이 될 것이다. 각각의 예문마다 동사를 중심으로 설명과 해설을 달았지만 예문이 부족한 사람들에게는 설명보다 예문이 더욱 요긴하다.
무조건 외우는 것은 어렵고 설령 외워져도 그 기억을 유지 시키는 것 또한 쉽지 않다. 성인이
아동보다 영어 학습이 쉽지 않은 이유도 먼저 이해를 하려고 하기 때문이다. 이해가 되지 않은 문장 외우기는 너무 힘든 과제다. 그래서 흔히 영어 공부는 성실함의 결과라고 말한다. 당연한 말이지만 분명 효율성은 있다. 그 시작이 이해다.
이 책은 영어 학습자의 이해를 돕기 위해 비슷한 사례를 분류하였고 적당한 해설을 하였으며 예문을 많이 싣도록 노력했다. 간혹 해설이 억지스럽거나 부자연스러울 수 있다는 점은 염려되고 인정되지만 오로지 전치사를 공부하는데 도움이 되도록 할 뿐이다. 영문학이나 언어학 학문의 입장은 확실히 아니라는 점을 밝힌다. 한국인의 입장에서 전치사를 이해하기 편하도록 필자의 관점을 기술하였다.

주로 사용되는 거의 **50**개가 넘는 전치사를 두 개 혹은 서너 개씩 묶어서 시리즈로 낼 계획이다. 설명과 많은 예문 때문에 한 권의 책에 모든 전치사를 다루는 것은 무리다. 향후 모든 전치사를 다룰 때까지 일단은 일 년에 **2~3** 권씩 목표를 두고 있다.

좋은 학습과 참고가 되리라 믿는다. 전치사는 여러분의 영어를 보다 정확하고 세련되게 만들 것이다. 멋진 영어 문장을 만들고 대화에서 구사하기를 바란다.

필자 유현철

영어를 공부하는 도서 (유현철 저)

-기본편

영어 기초를 위한 모든 기본 문장들
  문장의 5형식(단어 나열 순서)와 동사 시제 배우기

영어 의문문 12주에 끝내기
  5형식 문장과 8가지 시제를 기본으로 하는
  단순 의문문, 의문 대명사 의문문, 정도를 묻는 의문문

한국(일본)인을 위한 영문법
  단어 나열의 순서와 위치 그리고 동사 시제를 근간으로
  두 언어와 차이에 대한 문법적 설명

-중급편

단문장 영작의 모든 것
  단문장에 관한 모든 문장의 영작 학습

복문장 영작의 모든 것
  단문장을 2개 이상 연결하는 복문장 학습

가정법의 모든 것
  영어 가정법이 어려운 이유는 시제의 차이 때문

생활국어 영어로 말하기
  생활에서 우리가 사용하는 한국어 영어로 표현하기

번역과 영작의 기술을 배우는 팝송영어 1~5
  번역과 영작은 룰을 알면 기술이다.

모든 전치사를 설명하다 시리즈 1

전치사를 공부하기 전 전제 사항 (필독 요망)

1. 동사와 전치사를 하나로 묶어서 익히자.
필자는 전치사를 크게 두 종류로 분류하였다.

- 부사적 전치사
- 동사를 돕는 전치사

'부사적 전치사'는 우리가 보통 알고 있는 것처럼 위치와 시간 등을 세밀하게 표현하기 위해 사용된다. 영어는 우리말보다 더 자세하고 정확하게 표현하는 경향이 있다. 우리말에는 전치사가 없기 때문에 부사적인 관점에서 볼 수밖에 없다.
'동사를 돕는 전치사'는 동사의 뒤에 따라오며 동사의 의미를 확장한다. 우리말처럼 조사나 어미가 없기 때문에 대신 이 부분을 전치사가 맡고 있다. 매우 다양한 의미로 확장되기 때문에 영어 학습에 있어 가장 힘든 난관이다. 외울 수밖에 없는 측면이 있긴 하다. 그래서 흔히 '숙어'라고 하고 외웠다. 하지만 여기에도 일정한 패턴과 개념들이 들어있어 하나의 전치사가 다른 동사에서 사용될 때 이러한 속성이 그대로 적용된다. 이런 점을 잘 파악하면 그 이해를 갖고 어쩌면 외우지 않고 동사와 함께 전치사를 구사할 수 있을 것이다. 완벽하지는 않더라도 상당 부분 해결될 수도 있다. 그러한 측면에서 동사의 뒤에 붙어 '동사를 돕는 전치사'인지 아니면 동사와 관계 없이 홀로 의미를 갖고 존재하는 '부사적 전치사'인지 구별할 수는 있지만 가급적 다소 **억지스럽더라도** 동사 뒤에 오면 **'동사를 돕는 전치사'**로 간주하였다. 이렇게 공부하면 동사에 따라 자연스럽게 뒤에 나오는 전치사를 구사하기 편하다. 우리가 보통 'go to ~~~' 이렇게 쉽게 나오는 것과 비슷하다. 여러분은 자기도 모르게 이렇게 영어 문장이 만들어지고 회화에서 튀어나오는 경험이 있다. 분명 동사에 따라서 자연스럽게 나오고 있다는 증거다. 다시 한번 강조하지만 다소 억지스럽더라도 '동사 + 전치사'로 간주하고 그에 따른 분류와 예문을 다루었다.

2. 문장의 5 형식을 꼭 알아야 한다.
문장의 5형식은 문장을 만들기 위해 영어 단어를 나열하는 순서의 패턴이다.
단어의 순서나 위치가 바뀌면 의미가 달라진다. 영어는 조사가 없기 때문에 모든 것은 순서와 위치에 의해 단어의 속성이 결정된다. 아마 거의 모든 알파벳 언어가 그런 것 같다. (필자는 스페인어와 프랑스어도 공부하였다.)
한국어처럼 조사와 어미가 발달한 나라는 조사와 어미가 단어의 성격을 만들기 때문에 순서와 위치를 아무리 바꾸어도 의미 전달에 아무 이상이 없다. 그러한 측면에서 한국 사람이 영어를 이해하고 학습하는데 최대의 난제다. 우리 입장에서는 순서나 위치를 조금 바꾸었다고 못 알아듣는 것이 이해가 되지 않는다.

반대로 영어권 국가의 사람들은 한국어를 배울 때 위치나 순서가 바뀌는 것을 쉽게 이해하지 못한다. 만일 여러분이 영어를 완벽하게 구사한다면 영어 문장에 들어있는 단어 하나 하나에 대해 왜 그곳에 위치하였는지 설명하고 그 위치에서 그 단어의 품사가 무엇인지 규명할 수 있어야 한다. 그렇지 못하다면 정확한 영어문장이 아닐 가능성이 높다. 영어는 순서나 위치에 따라 품사가 바뀌기 때문이다.

영어 문장을 외우고 싶다면 단어의 순서와 위치를 잘 파악하고 그것들을 기억하라. 아마 훨씬 쉽게 이해되고 외워진다.

우리가 서울의 캐치프레이즈로 알고 있는 'I seoul you'가 어색하고 말이 안된다고 여길 지 모르지만 영어권 국가는 쉽고 이해가 되는 문장이다.

정확하게 사용하려면 'seoul'은 소문자로 기재해야 한다. 주어 다음에 나온 '동사'이므로. 그리고 첫 단어인 'I''는 당연히 주어다. 대문자로 쓰여있다.

직역하면 '나는 서울한다 너를'이다. 즉 '서울로 만든다?', '서울화하다?' 등의 의미로 해석할 수 있다. 영어권 국가의 사람들은 쉽게 이해하는 말이다. 이 문장 자체가 여행객들 위해 만든 문장이니 만큼 재밌는 문장이고 간단하고 쉽다. 한국인에게는 억지스러울 수 있다. (정치적 의도는 '1'도 없으므로 그런 해석은 하지 마시기를. 계속 사용하자고 주장하는 것도 아니고 그렇다는 말이다.)

또 하나 예를 들면
I shampoo in the morning.
나는 아침에 샴푸(머리를 감는다)를 한다.

우리가 아는 'shampoo'는 명사지만 여기서는 주어 다음에 위치하므로 '동사'로 간주한다. 그러니까 과거로 표현하고 싶으면 'shampooed' 하면 된다. 여러분이 동사를 모르면 주어 다음에 위치하면 된다.

I computered last night. 나 어제 밤에 컴퓨터했어.
물론 어색한 문장이고 억지스럽지만 말은 충분히 통한다.
(*정확한 표현은 I used the computer. . . or I was on the computer. . .)

우리가 영어 문장 5형식을 배워야 하는 이유다. 어쩌면 영어권 국가의 사람들은 5형식을 모를 수도 있다. 그들은 이미 그 순서가 당연하다고 생각하기 때문이다. 그래서 필요 없다고 할 수도 있지만 우리 입장에서는 꼭 필요한 부분이다.

문장의 1~5 형식은 단어를 나열하는 순서를 정의한다.
기본적으로 전부 시작은 '주어 + 동사' 순이다.
위의 예문처럼 설령 주어 다음에 우리가 아는 명사가 와도 그건 동사가 된다. 그래서 조사나 어미 변화가 없는 국가의 사람들이 어쩌면 영어 배우기가 쉬울 지도 모른다. 주어, 동사 다음에 목적어, 목적보어 등의 성격 규명이 명확해진다. 그 순서에 따라서. 그리고 나머지 단어는 그 뒤에 나열한다. 그때도 순서가 존재한다. 기본적으로는 '중요한 순'이다. 그래서 영어는 앞부분만 들어도 의사 전달이 일단 된다고 볼 수 있다. 한국말은 끝까지 들어야 하는 이유가 주로 동사를 문장 끝에서 말한다. 그 동사의 시제도 물론 포함된다. 그러니까 문장 끝에서 갑자기 미래로 말하거나 과거로 말하면 통틀어서 내용이 바뀐다. 심지어는 부정어까지 맨 뒤에 사용한다.

또한 2개 이상의 문장을 엮어서 하나의 문장이 되는 복문장의 순서도 기본적인 규칙이 있다. 바로 중요한 순이다. '주어 + 동사'처럼. 그래서 관계대명사가 필요할 수밖에 없다. 일단 중요한 말을 먼저 하고 그 뒤에 모자란 보충적인 설명을 뒤에 달고 그 관계를 이어주는 것이 관계대명사이기 때문이다.
(*필자의 저서 '복문장 영작의 모든 것' 참조)
반드시 문장의 5형식을 정확하게 이해하고 익히기 바란다.

3. 동사의 시제에 대한 명확한 정리가 필요하다.
여러분은 동사의 시제가 몇 종류가 되는지 알고 있는가? 어쩌면 미국 사람들이나 교사, 교수들도 정확히 모를 수도 있다. 그런 생각을 별로 하지 않기 때문에. 하지만 한국인의 입장에서는 이는 매우 중요하다. 한국어에 없는 시제가 존재하기 때문이다. 기본적으로 최소 16개의 시제가 있다. (*부록 동사의 16 시제 예문 참조)

동사의 '과거분사'라는 종류가 없다. 동사는 그 표현 방법에 따라 현재형, 과거형, 현재분사형, 과거분사형이 있다. 우리말에 없는 '과거분사'가 발목을 잡는다. 현재분사도 엄밀히 따지면 우리말의 동사에는 없다. 단지 '~ 중이다'라는 단어를 붙여 현재분사로 만들지만 영어는 'ing'를 동사 뒤에 붙여 하나의 단어로 사용한다. 그 이름이 '현재분사'로 되어 있어 현재형으로 착각하는 사람들이 많지만 동사의 종류일 뿐 시제는 그 앞의 be동사나 조동사가 결정한다.

'과거분사'는 한국어에 없는 동사 형태이기 때문에 이해가 쉽지 않다. 역시 과거가 아니다. 당연히 수동태도 아니다. 동사의 종류 중 하나이며 '현재분사'에 대비되는 개념이다. 현재분사가 동작 중 상태라면 과거분사는 현재분사가 좀 더 오래 지속되고 있는 상태다. 우리말에 가장 가까운 표현이라면 '지속 중인 상태'에 가깝다. 역시 시제는 과거가 아니고 동사 앞에 있는 be동사나 조동사가 결정한다. 그 중에서 have(has)가 앞에 오면 현재완료라고 하고 'had'가 앞에 오면 과거완료라고 하지만 정확히는 그 앞에 다른 조동사 will, would, shall, should, could, may, might가 오면 'have + 과거분사'가 되고 이때 조동사가 시제를 결정한다. 'can + have + 과거분사'는 없다. '할 수 있다'는 그 자체가 현재의 상태를 의미하기 때문에 굳이 완료형으로는 표현하지 않는다.

진행형은 문장의 5형식을 결정하는데 지대한 영향을 끼친다. 예를 들어

I go to school.
I am going to school
위 두 문장은 1형식이 맞는가? 'am'이 들어간 문장인데 여전히 1형식인가?

She goes to school.
She is gone.
위에서 과거분사 'gone'을 사용하였는데 여전히 두 문장은 1형식인가? 그렇다면

I am tired, She is tired는 몇 형식인가?
이 문장은 보통 2형식이라고 말한다.
그렇다면 She is gone은 1형식고 She is tired는 2형식인가? 같은 과거분사인데 왜 어떨 때는 동사 취급이고 어떨 때는 형용사 취급인가? 일관성이 없다.
형식을 규명하는 것은 정확한 해석을 위해서다. 그런데 이미 해석을 하고 난 다음에 형식을 규정하는 것은 이치에

합당하지 않다. 억지다. 한국말이 영어의 형식을 결정하는 것은 아니다.
'tired'는 'tire'의 과거분사가 명확하다. 형용사가 아니라 동사다.

이러한 문제들이 5형식을 규명하는데 방해를 주기 때문에 보통 영어교재나 교사들 강사들은 5형식이 있다는 것만 가르치고 자세하게 설명하기를 꺼린다. 자기들도 모순점이 있다는 것을 알기 때문이다. 학습자가 영어 문장을 강사에게 보여주고 몇 형식이라고 물으면 답을 못할 지도 모른다.
그래서 필자는 다음과 같이 주장한다. 물론 필자의 주장이니 필자의 영어책을 공부할 때 적용하기만 바란다. 다른 사람들과 논쟁하거나 필자인 나에게도 이 부분은 질문하거나 이의를 제기하지 말기 바란다. 오로지 공부를 위해 이렇게 정의하는 것일 뿐이다. 물론 상당히 합리적이고 논리적이다.

동사의 범위 =

동사 + 전치사 = 동사
be동사 + 현재분사 + 전치사 = 동사
'be동사 + 과거분사 + 전치사 = 동사

위의 세가지를 크게 '동사'라고 정의를 하자. 이 책을 공부하는 동안에는.

(*필자가 저술한 모든 책은 이러한 개념을 기본으로 한다.)
이렇게 동사의 범위를 크게 확대하여 적용하면 정확하게 5형식으로 모든 문장의 구분이 가능해진다. 우리말의 입장에서는 이렇게 동사의 범위를 확대 적용하는 것이 보다 명확하고 이해도 쉽고 적용하기도 좋다. 즉

She goes to school. 그녀는 학교에 다닌다
She is going to school. 그녀는 학교에 가는 중이다
She is gone. 그녀는 사라졌다.
She has gone. 그녀는 가버린 상태다
위 문장 모두 1형식이다.
시제가 변한다고 해서 형식이 바뀐다는 것은 말이 안된다.

She *is contented with* her job.
그녀는 자기 일에 대해 만족하고 있어.
'is contented with' = 동사
그러므로 위 문장은 she가 주어, her job이 목적어다.
아마 'she is tired'가 2형식이라고 하면 이 문장도 2형식이라고 해야 한다. 모순이 생기고 일관성도 부족하다.

'She is tired'는 2형식인데 'She is tired of you.'도 2형식이라고 할 것인가?
She is tiring you(그녀는 지금 너를 지치게 해)는 몇 형식인가?

문장의 형식을 규명하는데 이러한 모순점이 발생한다. 그러나 필자가 정의한 바와 같이 동사의 범위를 정한다면 이 문제가 완벽히 해결되고 모든 문장은 5형식으로 정확히 구분 가능해진다.

She is tired 1형식
She is tired of you 3형식 (you가 목적어다)
She is tiring you 3형식 (you가 목적어다)
She has tired you 3형식 (you가 목적어다)
She has been tired 1형식
She may have been tired. 1형식 현재
She will have been tired. 그녀는 피곤해질 거야.
1형식 미래완료형
She might have been tired. 그녀는 피곤한 상태일지 모른다. 1형식 과거완료형

She is contented with her job. 그녀는 자기 일에 만족한다. 3형식 현재
She is being contented with her job.
그녀는 지금 매우 그녀의 일에 만족하고 있는 상태야.
3형식 현재진행형 (is -> 진행형으로 바꾸어 is being)
(*약간 억지 표현이지만 아주 강조하려면 사용할 수 있다.)
She has been contented with her job.
그녀는 자기 일에 만족해하고 있는 상태다.

3형식 현재완료

She would have been contented with her job.
그녀는 자기 일에 만족한 상태였을 것이다.
3형식 가정법과거완료

이상 설명한 바와 같이 이 책을 공부하는데 필요한 동사의 범위와 정의에 대해 규명하였다. 다시 한번 강조하지만 이러한 범위의 규정은 오로지 필자가 저술한 영어책을 공부하기 위해 일시적으로 정리하고 규정한 것이지 영문학적으로 주장하는 것은 아니다. 이러한 바탕 위에서 공부를 하면 훨씬 책의 이해가 쉽고 학습하는데 편안할 것으로 기대한다.

목 차

전치사를 공부하기 전 전제 사항 (필독)

Part I 전치사 on	23
Chapter 1. 부사적(형용사) 전치사 on	25
1-1 on + 명사로 사용된 경우	27
1-2 형용사로 사용된 경우	29
1-3 시간 의미로 사용된 경우	31
1-4 on + 동명사로 사용된 경우	34
1-5 on + 목적격 인칭대명사	36
1-6 on + 추상명사	39
1-7 on + 문장(전치사의 목적절)	43
1-8 on 부사구의 다양한 예문	45
1) on을 장소나 위치로 활용한 부사구	45
2) on을 시간으로 활용한 부사구	48
3) on을 동작 의미로 활용한 부사구	49
4) 그 밖의 on을 이용한 부사구	50
Chapter 2. 동사를 돕는 전치사 on	55
2-1 동사 + 전치사	62
2-2 동사 + 전치사 + 목적어	71
2-3 동사 + 전치사 + 목적어 1 + 목적어 2 (목적보어)	125
2-4 동사 + 목적어 + 전치사	127
2-5 동사 + 목적어 1(A) + 전치사 + 목적어 2(B)	135

2-6 be동사 + 과거분사 + 전치사　　　146

Part II　　전치사 in　　　149
Chapter 1. 부사적 전치사 in　　　151
1-1 in + 명사로 사용된 경우　　　152
1-2 in 단독으로 사용된 경우　　　153
1-3 in 시간의 의미로 사용된 경우　　　154
1-4 in + 동명사로 사용된 경우　　　156
1-5 in + 목적격 인칭대명사　　　158
1-6 in + 추상명사　　　159

Chapter 2. 동사를 돕는 전치사 in　　　163
2-1 동사 + in　　　171
2-2 동사 + in + 목적어　　　176
2-3 동사 + 목적어 + in　　　240
2-4 동사 + 목적어 1(A) + in　　　241
　　　　+ 목적어 2(B)
2-5 in을 사용한 부사구의 다양한 예문　　　254
　1)　in을 장소나 위치로 활용한 부사구　　　255
　2)　in을 시간으로 활용한 부사구　　　256
　3)　in을 이용 동작 의미로 활용한 부사구　　　258
　4)　그 밖의 in을 활용한 부사구　　　260
부록 동사의 16가지 시제의 예문

PART I

전치사 'on'

Part I

전치사 on에 대하여

'on'은 전치사와 더불어 부사로도 사용된다. 우리말에 전치사가 없기 때문에 그냥 부사로 인식하여도 무방하다. 또 한가지는 부사가 아닌 용도로 사용되는 경우, 즉 동사의 뒤에 위치하여 동사의 의미를 확장하는 용도다. 이럴 때는 전치사가 독자적으로 어떤 의미를 갖고 있기보다 '동사 + 전치사 = 동사'로 인식하는 것이 좋다. 이때 동사는 원래 갖고 있는 의미를 다양하게 확장하여 사용하게 된다. 우리는 보통 이러한 형태를 숙어라고 공부했다.

Chapter 1. 부사적(형용사) 전치사 on

'on'의 품사는 전치사도 되고 형용사, 부사도 된다. 영어 단어는 하나의 품사로만 사용되는 것이 아니다. 그 위치에 따라 동사도 되고 명사, 형용사, 부사도 될 수 있다. 그러므로 위치에 따라 품사도 변하고 당연히 의미도 다르게 사용된다.

Love is beautiful.

'love'가 주어의 위치에 있으므로 명사로 사용되었다.

I love you.

'love'가 주어 다음에 왔으므로 동사로 사용되었다.

I long for freedom. 나는 자유를 갈망해

'long for'가 하나의 동사로 사용되었다. 그러므로 long의 품사는 동사다. 동사로 '갈망하다'의 뜻이다.

The light is on. 불이 켜졌다.

여기서 'on'은 보어 자리에 있다. 우리말로는 '켜졌다'로 해석되므로 동사처럼 보이지만 보어로 사용되었으므로 형용사다.

이처럼 'on'이 형용사로 사용될 때는

- 어떤 것에 붙어있거나 밀착되어 있는 상태
  There is a fly on her blouse.
  그녀의 블라우스에 파리 한 마리가 붙어 있습니다.

- 공공 장소나 상황에서 공연, 연설, 작동을 하는 상태
  The strike is on 파업이 계속되고 있습니다.
  Is this on? 이거 방송되는 거죠? (이거 되는 거지요?)

- 어떤 일이나 임무에 있는 상태
  He is working on? 그가 지금 열심히 하고 있는 거죠?

From now on, I will study English.
지금부터 쭉 난 영어공부를 하겠습니다.

이렇게 활용되고 있는 전치사 'on'을 **Chapter 1**에서는 다른 단어의 앞에 위치하면서 활용하는 용도에 따라 **Chapter 2**에서는 동사의 뒤에 위치하여 동사의 의미를 확장하는 용도(숙어)를 다양하게 설명하려고 한다.

1-1 on + 명사로 사용된 경우

형용사나 부사로 사용될 때 '지속하는', '계속되는' 의미를 갖는다. 전치사로 사용될 때는 명사 앞에 위치하여 그 명사에 '견고하게 붙어 있거나 접촉되어 있는 상태'를 의미한다. 그리고 그 상태가 계속 유지되고 있는 상황이다. 우리말로 가끔 '위'에 있는 의미로 종종 사용되지만 붙어있지 않고 떨어져 있는 위는 아니며 어떻게 보면 위의 방향이 아닐 수도 있다. 방향보다는 접촉한 상태로 지속되고 있는 상황에 가깝다.

There is a mobile phone on the table.

휴대폰 하나가 테이블 위에 놓여있다.

There is a mobile phone above.

휴대폰이 위쪽에 있다.

(*'above'가 부사로 사용.

There is a mobile phone above the table.

'above'가 전치사로 사용되어 'on'과 같은 의미가 되지만 정확하게 보면 테이블 위에 붙어 있지 않고 테이블 위 뭔가의 또 위에 있거나, 공중에 매달려 있거나, 아무튼 위쪽 어딘가 있다는 뜻이 된다.)

The map is on the wall. 지도가 벽에 걸려있다.

벽에 붙어있는 상태다.

The light on the wall is on.

벽에 붙어 있는 불이 들어왔다.

There are bugs on the ceiling. 천장에 벌레들이 있다.

(*천장에 붙어있으므로 위는 아니다. 오히려 천장의 아래에 붙어있다.)

I am on my way (to you or to work).

나 지금 가는(너에게, 직장을 향해, 출근하는) 중이야.

직역; 나는 내 길 위에 존재하고 있어(너를 향한, 일하러)

She was on the plane to L.A.

그녀는 L.A 로 가는 비행기에 타고 있었다.

I am in the car to the hotel.

나는 호텔로 가는 차에 타고 있어요.

He got on the train. (ship, airplane 등등)

그는 기차에 탔다. (배에, 비행기에 등등)

(*비교적 크기가 큰 경우는 그 위에 올라 앉은 느낌이 강하다. 아마도 수 백, 수 천 년 전 마차나 배는 천장이 없는 판 위에 올라탔을 것이다. 마차도 처음에는 천장이 없었다.)

He got in the car. 그는 차에 탔다.

(*작은 차는 올라타기보다는 그 안으로 들어가는 느낌이다. 크기가 작은 승용차 등은 안에 들어간다고 표현한다. 'get on'은 후반부 '동사를 돕는 전치사' 편에 있다.)

1-2 형용사로 사용된 경우

TV is on.

TV가 켜져 있다.

(*'on'이 보어자리에 있으므로 형용사로 사용되었다.)

Light is on.

불이 켜졌다.

(*여기서 'on'은 보어자리에 있으므로 형용사다.)

I see the TV on.

나는 그 TV가 켜져 있는 것이 보인다.

(*TV의 상태가 목적보어(형용사) 'on' 상태라고 설명한다.
5형식으로 '주어+동사+목적어+목적보어'의 형태다.)

He let the car radio on.

그는 자동차 라디오를 켰다.

직역; 그는 자동차 라디오가 켜지게 시켰다.

(*5형식으로 '주어+동사+목적어+목적보어'의 형태다.
   'let'에 's'가 붙어있지 않으므로 과거임을 알 수 있다.)

I have the TV on at night to go to sleep.

나는 밤에 자려고 할 때 **TV**를 켜야만 한다.

(*5 형식으로 '주어+동사+목적어+목적보어'의 형태다. 목적보어 자리에 전치사 '**on**'이 왔으므로 형용사로 사용되었음을 알 수 있다.)

Take the next street on the right.

다음 길에서 오른쪽 길로 가라.

It is the last building on the left.

좌측 마지막 건물이다.

My house lies on the coast of Youngjeongdo.

내 집은 영종도 해변에 있어.

There are many beautiful houses on the west coast.

서쪽 해변에 예쁜 집들이 많이 있어요.

A singer played a tune on his guitar

가수가 그의 기타로 곡 하나를 연주했다.

1-3 시간 의미로 사용된 경우

She was born on Feb, 5th 2000. 그녀는 2000년 2월 5일에 태어났다.

(*탄생이 5일 어느 순간이 아니라 그날 쭉 탄생이 지속된 느낌에 가깝다.)

She was born in Feb, 2000.

그녀는 2000년 2월생이다.

(2000년 2월 중 어느 날에 태어났다.)

She was born in 2000.

2000년 어느 날이면 'in'으로 표현한다.

Wedding ceremony is on Sunday.

결혼식은 일요일에 있다.

My birthday is on Sunday. 내 생일은 일요일이야.

(*일요일 내내 생일이 지속되고 있는 느낌이다.)

I have been for a walk on a winter's day.

(*팝송 'California dreaming' 중에서)

어느 겨울날 나는 내내 걷고 있었지.

직역; 어느 겨울날 걸음을 위해 나는 존재하고 있는 상태였어.

(*과거분사는 어떤 상태가 지속되고 있음을 표현한다. 과거가 아니다. 현재분사가 현재 동작 중 상태를 표현한다면 과거분사는 동작이 지속 중 상태다. 영어는 이 동작을 이렇게 두가지로 구분한다. 과거분사는 형용사처럼 활용되지만 엄연히 동사의 한 종류이지 형용사는 아니다.)

I am happy. 나는 행복해.

I am being happy. 난 지금 행복한 중이야.

*2 형식에서 강조하고 싶을 때 현재진행을 사용한다. 직역하면 '나는 지금 행복하게 존재하고 있는 중이야'. 현재진행형은 'be+~ing'이므로 being 이 온다.

I have been happy.

나는 행복한 상태야.

*그 상태가 꽤 지속되고 있어 보통은 뒤에 지속을 의미하는 기간 표현이 따른다.

I have been happy these days.

요즘 난 행복한 상태야.

I am tired. 나는 피곤해.

*이 문장은 'be+과거분사' 형태다. 그러므로 이를 현재진행형으로 바꾸면 'I am being tired.'가 된다.

'I am tiring'은 다른 의미다. 이는 현재분사인 'tiring'을 사용하였으므로 '나는 괴롭히고 있는 중이야' 의미가 되고 결국 타동사가 된다. 목적어가 있어야 한다. 즉

I am tiring him. 내가 그를 괴롭히고 있어.

가 된다.

I am tired. be 동사+과거분사

I am being tired. 위 문장의 현재진행형.

*문법으로는 맞으나 강조 외에는 그리 사용하지 않는다.

I have been tired. 'am'의 현재완료형인 'have been'.)

They arrived on time. 그들은 제 시간에 맞춰 왔다.

그 시간 딱 위에 도착한 상태를 의미

(*They arrive in time. 그들은 그 시간 안에 도착했다. 그 시간보다 넉넉하게 일찍 도착한 상태를 의미)

I like swimming on hot day.

난 더운 날에 수영하는 걸 좋아한다.

I get a part-time job on vacation.

나는 방학에 아르바이트를 합니다.

직역; 나는 방학에 아르바이트를 갖고 있어.

1-4 on + 동명사로 사용된 경우

동명사는 '동사+ing' 형태로 동사에 '~ing'를 붙여 명사처럼 사용한다. 현재분사와 형태가 같다. 그러므로 형태는 같지만 용도에 따라 현재분사로 볼 수도 있고 명사로 볼 수도 있다. 가만히 생각해보면 현재분사와 동명사는 결국 같은 의미다.

동명사 – I like watching TV.

나는 TV 보는 것을 좋아한다.

*나는 TV 보는 중인 것을 좋아한다. 다소 억지지만 현재분사로 해석을 해도 큰 무리가 없다. 어찌 보면 영어로는 같은 의미일 수도 있다. '-ing' 형태가 같으므로

I like to watch TV. 나는 TV를 보고 싶다.

현재분사처럼 현재 동작 중 상태가 아니라 그 동작을 하고 싶다는 것을 의미한다. 'to + 동사원형 = 부정사'로 사용되었다.

이처럼 'to 부정사'는 주로 앞으로 일어날 동작, 이유 등을 설명한다.

현재분사 I like to play game watching TV.

TV를 보면서 게임을 하고 싶다.

The project is ongoing. 그 프로젝트는 진행 중이다.

(*'on+going'이 하나의 단어가 되었다.)

On passing by Jongro St. I called to my friend.

(*현재분사로 직역을 하면

-종로역을 지나면서 나는 친구에게 전화를 걸었다.

동명사로 직역을 하면

-종로역을 지나가는 것의 위에서 친구에게 전화를 걸었다.

*현재분사, 동명사 둘 다 해석을 해도 결국 같은 의미가 된다.)

When do you plan on leaving?

언제 떠날 계획입니까?

Lock it on leaving the house.

집을 나갈 때 열쇠로 잠가주세요.

On arriving home, I discovered (that) they had gone.

집에 돌아오는 길에 그들이 가버린 것을 발견하게 되었다.

1-5 on + 목적격 인칭대명사

목적격 인칭대명사는 me, her, him, them, us 등이다.

목적어 자리에 사람을 대신하는 대명사가 올 때는 목적격을 사용.

'you'와 'it'는 목적격과 주격(주어 자리)이 동일하다.

Lunch is on me.

점심은 내가 낼게.

직역; 점심은 내 위에 있다.
  ~ 나에게 붙어 있는 상태다
  ~ 나에게 달려있다.

It is on me. 그건

그건 내게 달려 있지.

직역; 그건 내 위에(달려, 붙어) 있는 거야.

Coffee is on me. 커피는 내가 낼게.

The movie is on me. 영화는 내가 낼게.

(*아마도 영화는 이미 정해진 상태라 관사 'the'를 붙였다. 아직 볼 영화가 정해지지 않은 상태라면 그냥 'Movie is on me'라고 해도 된다.)

First round is on me, second round is on you, OK?

일 차는 내가 낼게, 이 차는 네가 내지, OK?

Everything is on me today. 오늘은 내가 완전 쏠게.

You spilled a coffee on me. 네가 커피를 나에게 쏟았어.

Something is on you. 너에게 뭐가 묻었어.

The pants are tight on me. 바지가 나한테 딱 맞아요.

My mom is angry on me. 엄마가 나한테 화났어.

My name is on it?

내 이름이 적혀 있어?

직역; 내 이름이 그것에 붙어있어?

(*it 은 서로 그것이 무엇인지 알고 있다.)

It doesn't matter who is on it.

누구에게 해당되는 지 상관없어. (중요하지 않아)

직역; 누가 그것에 붙어있는지 일이 발생하지 않아.

I have my eyes on you.

나는 당신을 주시하고 있습니다.

직역; 나는 당신 위에 붙인 내 눈을 갖고 있어요.

Have you got any money on you?

너 돈 가진 것 있니?

직역; 너에게 어떤 돈을 갖고 있는 상태니?
　　　~ 너에게 돈이 붙어있는 상태니?
　　　~ 너 위에 돈이 있는 상태니?

Had you got any money on you?

너 돈 가진 게 있었지?

(*과거 그 당시 돈이 있는 상태였는지를 묻고 있다.
*현재완료형은 현재 어떤 상태에 있을 때 하는 표현
과거완료형은 과거 한때 어떤 상태에 있었을 때 하는 표현)

The teacher will keep his eyes on you.

선생님이 너에게 기대를 할 거야.

직역; 선생님이 눈을 너에게 붙인 상태를 유지할 거야.

All eyes were on her as she was walking the runway.

모든 눈이 런웨이를 걷고 있는 그녀를 주시하고 있었다.

(*런웨이 - 보통은 비행기 활주로를 뜻하지만 패션쇼에서 모델들이 패션쇼를 위해 걷는 길을 칭하기도 한다.)

1-6 on + 추상명사

추상명사는 셀 수 없으며 눈에 보이지 않는 실체가 없는 명사다. 대개 'on + 추상명사'는 쉽게 추정이 가능하지 않는 경우도 많다. 그건 우리말과 영어에서 용도가 다르게 사용되기 때문인데 특히나 우리말은 전치사가 없으므로 더욱 추정이나 상상하기 힘들다. 책이나 영화 등을 통해 많이 보고 익혀야 할 수밖에 없다. 많은 문장을 통해 단어와 합쳐 어떤 의미를 갖는지 대략 추정이 가능해질 수도 있다. '추상명사'의 상태가 지속되고 있음을 대략적으로 의미한다.

She was on a diet.

그녀는 다이어트 중이었다.

직역; 그녀는 하나의 다이어트 위에(붙어서) 있었다.

(*She was in a diet. 그녀는 다이어트를 했다. 지속 중이라기 보다 '안에 있었다'가 되므로 단순히 다이어트 사실만을 표현한다.)

I will be back on air tomorrow at the same time.

내일 이 시간 방송에서 다시 찾아 뵙겠습니다.

직역; 내일 같은 시간 방송에서 돌아와 존재할 것입니다.

The politician is on hunger strike.

그 정치인은 단식투쟁 중이다.

(*hunger 명사는 배고픔, 굶주림, 동사는 굶다, 굶주리다, 배가 고프다. 갈망하다 뜻도 있다.

I hunger for your touch. 난 네 손길을 갈망해.
(*팝송 unchained melody 중에서)

Singer on the stage should not turn his back on audience.

무대에서 가수는 청중에게 등을 돌려서는 안된다.

(*가수가 무대 위에 있으므로 singer 뒤에 바로 'on the stage'를 위치해야 한다. '.... on audience on the stage'라고 하면 청중이 무대 위에 있는 상태가 된다. 물론 맥락으로 보아 그렇게 이해하지는 않겠지만 정확한 단어의 위치는 연관성이 있는 단어와 나란히 있어야 한다.

확실하게 하기 위해 아래와 같이 해도 좋다.

On the stage, singer should not turn ......

위 문장은

Singer should not turn his back to audience.

라고 해도 된다. 두 문장은 의미 차이가 약간 있다.

.... to audience 는 청중을 향해 등을 향하지 말라는 단순히 행동을 지적하지만

.... on audience 는 무시하거나 실망시키는 의미가 포함되어 있다.

turn one's back on ~에 대해 무시하다, 실망하다)

My mom cooks the potatoes on a high heat.

엄마는 감자를 높은 온도에서 요리합니다.

We were long on ideas but short on performance.

우리는 아이디어는 많으나 성과는 부족했지.

직역; 우리는 아이디어 위에서 길었으나 성과 위에선 짧았다.

The teacher was doing some research on the subject.

선생님은 그 주제에 관해 약간 조사를 하고 있었습니다.

MY son got 100 points on the oral.

우리 아들은 구술 시험에서 100점을 받았다.

CEO placed not too much on cost but on quality.

대표는 비용을 많이 들이지 않고 품질을 중요 시했다.

(*not A but B – A가 아니고 B다)

On the other hand, tumbler can be reusable.

반면에 텀블러는 재사용 될 수 있습니다.

My son bought a new car on credit.

내 아들은 대출로 새 차를 샀다.

I bought a subscription on Netflix.

나는 돈을 내고 넷플릭스를 구독했다.

The company bought a helicopter on a budget.

회사는 예산으로 헬리콥터를 구입했다.

She will buy a house on a loan.

그녀는 융자로 집을 사려고 합니다.

1-7. on + 문장(전치사의 목적절)

목적어 단어 대신 문장 '주어 + 동사'가 왔다. 즉 목적절인데 목적을 취하는 단어가 전치사이므로 전치사의 목적절이라고 한다.

He doesn't get a grip on what is going on.

그는 무슨 일이 일어나고 있는지 이해하지 못한다.

직역; 그는 무엇이 가고 있는지 그 위에서 한번의 움켜쥠을 갖지 못한다. (잡히지가 않는다)

I want to know your view on what happened here today.

오늘 여기서 일어난 일에 대해 너의 의견을 알고 싶어.

What is your thought on what he spoke about the future?

미래에 관해 그가 한 연설에 대한 당신의 생각은 무엇이지요?

The situation on that snow was heavy, we couldn't walk outside.

눈이 너무 많이 오는 상황이라 우리는 밖을 걸을 수 없었다.

You should pay prior to the date on which the workshop begins.

워크숍이 시작하는 날 이전에 지불하여야 합니다.

In Korea, Mother's day is on which her children give her a gift with saying that they love her.

한국에서는 어머니날에 그녀의 아이들이 사랑한다는 말과 함께 그녀에게 선물을 주는 날입니다.

(*saying 은 전치사 with 다음에 왔으므로 명사형이 되어야 한다. 그러므로 동명사 형태를 취했다. 또한 saying 의 목적어로 단어가 아닌 문장 (목적절; '주어+동사' 문장)이 왔다. 이렇게 동명사도 목적어로 문장이 올 수 있다.)

I want to have a discussion on whether our dreams come true.

우리의 꿈들이 이루어질 수 있는지 토론을 하고 싶어.

(*our 소유격 다음에 dreams 가 있으므로 동사가 아닌 명사형 즉 복수명사임을 알 수 있다. 이처럼 영어에서는 위치에 따라 품사가 바뀌거나 단어 앞에 오는 단어에 따라 품사가 결정된다.)

The book presents various opinions on how we can deal with global warming.

그 책은 우리가 어떻게 지구 온난화를 극복할 수 있는 문제에 관한 다양한 의견에 대해 쓰여 있다.

I have good ideas on how to teach English.

나는 어떻게 영어를 가르치면 좋을 지 아이디어가 있다.

His mom has experience on how she saved money.

그의 어머니는 어떻게 돈을 모았는지에 대한 경험이 있다.

1-8 on 부사구의 다양한 예문

● 전치사 + 명사 = 부사구

부사구는 전치사와 다른 단어가 합쳐져 하나의 단어가 되어 부사적으로 활용되는 경우를 말한다. (*단어처럼 활용되면 '구'라 하고 주문장 속의 문장은 '절'이라고 한다.)

'on my way'는 영어로 직역하면 '내 길 위에 놓여있다'지만 의역하면 '가는 길이야, 가는 중이야'의 뜻이다. 미국인이나 영국인은 '내 길 위에 놓여있다'는 개념을 갖고 있다. 원래의 직역 의미로는 선뜻 짐작이 잘 되지 않는 'on'을 사용한 다양한 예문을 참조하기 바란다.

1) on 을 장소나 위치로 활용한 부사구

<u>On a summer day</u>, I went to the park.

어느 여름날 나는 공원에 갔다.

<u>On the way</u> to the party, she stopped at the store.

파티 가는 길에 그녀는 가게에 들렸다.

On the calendar, important dates are marked in red.

달력에 중요한 날짜들이 빨간색으로 표시되어 있다.

The detective found a crucial clue <u>on the crime scene</u>.

그 형사는 범죄 현장에서 중요한 단서를 발견했다.

Please write your name on the form.

양식에 이름을 기재해 주세요.

The student drew a diagram on the board.

학생이 칠판에 도표를 그렸다.

He hung the clock on the wall.

그가 시계를 벽에 걸었다.

The sticker was on the computer.

스티커가 컴퓨터에 붙어있었어.

The picture is on the front page.

그 사진은 표지에 붙어있습니다.

The movie is playing on the screen.

그 영화가 지금 스크린에서 상영 중입니다.

I am chatting on Kakao Talk.

나 지금 카톡으로 수다 중이야.

A butterfly landed on the rose flower.

나비 한 마리가 장미꽃 위에 앉았다.

The key is on the hook.

열쇠가 고리에 걸려있어요.

A spider is crawling on the ceiling.

거미 한 마리가 지금 천장을 기어 다니고 있어요.

I could stand on my own again.

나는 혼자서 설 수 있었어요.

직역; 나는 나의 자산 위에서 다시 설 수 있었다.

The group placed a high value on its members.

그 그룹은 자기들 회원들에게 높은 가치를 두었다.

직역; 그 그룹은 자신의 회원 위에 위치시켰다. a ~~~를

(*its 는 it 의 소유격으로 앞에서 언급한 group's 을 의미한다. 반복을 피하기 위해 대명사인 'it'를 사용하고 소유격을 취해서 'its'가 되었다.)

2) on 을 시간으로 활용한 부사구

We met him <u>on Monday</u>.

우리는 그를 월요일에 만났다.

I will finish the homework <u>on time</u>.

나는 제 시간을 숙제를 끝낼 거야.

The event will take place <u>on the weekend</u>.

그 행사는 주말에 열릴 겁니다.

직역; 그 행사는 장소를 갖을 것이다. 주말에.

He practiced his guitar skills <u>on a daily basis</u>.

그는 매일 매일을 근본으로 삼아 기타의 기술을 연습한다.

<u>On weekends</u>, we often go camping.

우리는 주말에는 가끔 캠핑을 간다.

I will travel to Europe <u>on my vacation</u>.

나는 방학에 유럽 여행 갈 거야.

(*'I will travel for Europe'은 유럽을 위해서 뭔가의 목적으로 여행할 것이라는 의미다.)

<u>On my birthday</u>, I have got a beautiful gift.

내 생일에 아주 예쁜 선물이 생겼어.

We arrived <u>on the scheduled date</u>.

우리는 계획된 날짜에 도착했다.

My father works on weekdays.

우리 아빠는 평일에 일합니다.

3) on 을 동작 의미로 활용한 부사구

He finds inspiration on a nature hike.

그는 자연 산행에서 영감을 얻는다(발견한다).

The chef demonstrates cooking techniques on the cooking show.

요리사는 요리쇼에서 요리 기술들을 시연합니다.

The politician will make an important announcement on the radio.

그 정치가는 라디오 방송에서 중요한 발표를 할 것이다.

The boy insisted on going alone.

그 소년은 혼자 가겠다고 고집을 부렸다.

I am working on improving the process.

나는 처리를 향상시키는 일을 하고 있다.

He insisted on being part of the group.

그는 그룹의 일원이 되기를 주장했다.

(*He wanted on being part of .... 는 틀린 문장이다.

'want' 다음에는 'to 부정사'가 와야 한다.

He wanted to be part of... 가 맞는 문장이다.

want는 앞으로 발생한 것을 전제로 하기 때문에 'to + 부정사'를 사용한다.

'being'은 'be'의 현재분사(동명사로 볼 수도 있음)다. 즉 '존재하는 중' 혹은 '존재하는 것(동명사)' 의미다.

I want to be with you. 나는 너와 있고 싶어.

Being with you is my happiness.

너와 함께 있는(존재하는-동명사) 것이 나의 행복이야.

직역; 너와 함께 존재가 나의 행복이야.

I am sorry for being late. 늦어서 미안해.

직역; 늦고 있는 중(현재분사)인 것이 미안해.

I am sorry for late는 틀린 문장이다.

*전치사 다음에는-전치사의 목적어는- 명사가 와야 한다.)

4) 그 밖의 on 을 이용한 부사구

I apologized on behalf of my son.

나는 아들을 대신해서 사과했다.

(*on behalf of ; 대신해서)

The shop has a section where products close to expiration are on sale.

그 가게는 기한이 임박한 물건을 세일하는(세일 중인) 코너가 있어.

Today many fruits are on sale.

오늘 많은 과일들을 세일하고 있습니다.

I didn't forget your birthday on purpose.

내가 일부러 너의 생일을 잊은 건 아니야.

(*on purpose; 일부러, 목적으로)

After the lightning strike, the field was on fire.

번개가 내려친 후에 들판에 불이 났다.

That blind date happened on the spot.

그 소개팅은 즉석에서 이루어졌다.

He is on the phone.

그 분은 통화 중이세요.

직역; 그는 전화기 위에 존재해요.

I thought the task would be difficult, but on the contrary, it was surprisingly easy.

내 생각에 그 일은 어려울 거라고 생각했는데 반면에 놀랄 만큼 쉬웠어.

(*on the contrary; 반면에)

There is a new mall on the outskirts of the city.

도시 변두리(교외)에 새로운 몰이 하나 있어.

(*outskirts 에서 skirts 는 여성의류와 상관없는 단어)

The service for NETFLIX is <u>on demand</u>.

넷플릭스는 주문형 서비스입니다.

Local artists will have their paintings <u>on display</u> for the public to enjoy.

대중이 즐기기 위한 지역 화가들의 그림들이 전시될 예정입니다.

직역; 지역 예술가들이 그들의 그림을 갖을 겁니다. 전시 상태로 대중이 즐기게 하기 위해.

<u>On special occasions</u>, we like to have a party.

특별한 경우에는 우리는 파티를 하고 싶어해.

<u>On the subway</u>, he was immersed in games.

지하철에서(타고 오면서) 그는 게임에 몰두해 있었다.

She decided to go shopping <u>on a whim</u>.

그녀는 갑자기 쇼핑을 가기로 결정했다.

(*어떤 행동을 목적으로 가는 경우 대개는 'go ~ing'형을 사용한다.

Go shopping 쇼핑을 가다, hiking(하이킹을), fishing(낚시를), skiing(스키를), skating(스케이트를), gaming(게임을), swimming(수영을), jogging(조깅을), running(뛰기를), traveling(여행을), playing golf(골프를 치러), playing the guitar(기타를 치러), studying(공부를)

*보통 운동은 'the'를 붙이지 않고 악기는 'the'를 붙인다.

만일 운동에 'the'를 붙이면 기구를 의미하게 된다.

We play the baseball. 우리는 야구공을 갖고 놀아.)

On the path to success, there are challenges.

성공으로 가는 통로에는 도전이 있다.

My friends agreed on the terms.

내 친구들은 그 조건에 동의했다.

We decided on the menu.

우리는 메뉴를 결정했다.

I congratulated him on the achievement.

나는 그 성취에 대해 그를 칭찬했다.

They need to decide on a plan.

그들은 한 가지 계획을 결정할 필요가 있다.

He agreed on the approach.

그는 접근 방식에 동의했다.

The mistake was made on account of misunderstanding.

그 실수는 오해 때문에 생겼다(만들어졌다).

(*on account of ~ 때문에, 비롯하여)

Chapter 2. 동사를 돕는 전치사 on

Chapter 2. 동사를 돕는 전치사 on

(*예제 단어 위 작은 's'는 주어 **subject**, 'v'는 동사 **verb**, 'o'는 목적어 **object**, 'IO'는 간접목적어 **indirect object**, 'DO'는 직접목적어 **direct object**, 'OC'는 목적보어 **object complement** 를 의미.

예제 괄호에 들어있는 숫자는 1~5 형식 중 하나를 의미)

영어에서 동사의 의미만으로 표현하기에 부족한 부분을 채우기 위해 전치사를 활용한다. 즉 동사의 의미를 확장하는데 전치사를 뒤에 붙여 다양한 표현을 한다. 보통 우리는 이러한 '동사 + 전치사'의 활용을 숙어라고 부르며 공부했다.

숙어는 간단하게 표현하면 우리말 입장에서 보면 그 자체가 하나의 동사라고 보는 것이 타당하다.

'동사 + 전치사' = '동사'

이렇게 공부하는 것이 번역(독해)을 할 때 이해하기가 좋고 영작을 할 때 활용성도 좋다. 이렇게 동사가 전치사를 활용하는 방법은 아래의 다섯 종류가 있다.

1) 동사 + 전치사

    온전히 하나의 동사 역할을 하고 있다고 보면 된다.

2) 동사 + 전치사 + 목적어(전치사의 목적어)

    전치사 뒤에 전치사가 수반하는 명사가 뒤따른다.

    위에서 명사는 명사, 동명사, 문장(목적절)을 의미한다.

3) 동사 + 전치사 + 목적어 1(A) + 목적어 2(B)

4) 동사 + 목적어 + 전치사

동사와 전치사 사이에 목적어가 존재하는 경우로 이 때 전치사는 마치 형용사나 부사와 같은 역할로 보인다.

5) 동사 + 목적어 1(A) + 전치사 + 목적어 2(B)

이 경우 'A'가 'B'에게 혹은 'B'가 'A'에게 어떤 작용을 한다. 우리가 약간 헷갈리는 경우인데 영어는 그 속성이 중요한 순서이므로 중요한 것을 'A'라고 보면 된다.

6) be동사 + 과거분사 + 전치사 + 전치사의 목적어

우리는 보통 이런 경우를 '수동태'라고 부르는 경향이 있는데 그렇지 않다. 그냥 하나의 동사라고 보면 된다. '과거분사'를 수동태로 보는 것은 아주 잘못된 개념이다. 뿐만 아니라 과거분사를 형용사로 정의하기도 하는데 엄밀하게 보면 동사의 한 형태이고 형용사적 용법으로 사용할 뿐 그 자체를 형용사로 보면 안된다. 엄연히 동사다.

She is gone. 'gone'은 과거분사이지 형용사가 아니다.

'그녀는 가버렸다(사라졌다).'

'가버렸다'를 형용사로 볼 수는 없다.

현재 '가버린 상태'를 의미하며 아직 덜 확실하다. 확실하게 돌아오지 않고 가버린 상태이며 시간이 흘렀다면 (흘렀다고 확신한다면)

She has gone. 현재완료의 표현이 맞다.

'그녀는 떠나버렸다' - 거의 돌아오지 않는 것이다.

과거의 어떤 상태를 표현하기 위한 동사의 한 종류다. 역시 한국어에 없는 동사의 종류이기 때문에 많이 혼동하고 있다.

과거분사는 현재분사(~ing)와 대비되는 개념으로 현재분사가 작동 중인 상태를 표현하는 것이라면 과거분사는 현재분사인 작동 중 상태보다 오래 지속되고 있음을 의미한다. 그 지속의 시간에 따라 be동사, have(has), had가 앞에 위치한다.

현재분사나 과거분사의 실질적인 시제는 바로 앞에 있는 'be동사' 혹은 'have(has)' 동사의 시제가 결정한다.

be + 과거분사 = 현재의 상태

(지속 시간이 짧지만 진행형은 아님)

have(has) + 과거분사 = 현재완료

had + 과거분사 = 과거완료

현재완료는 지금까지 지속되고 있는 상태를 의미하고 과거완료는 한동안 지속된 상태였으나 종료된 상태를 표현한다. 지금은 지속되고 있지 않거나 모른다.

He has loved her.

그는 현재 그녀를 사랑하고 있는 상태다.

(사랑하고 있다)

He had loved her.

그는 한동안(한때) 그녀를 사랑하고 있는 상태였다.
(사랑하고 있었다) - 지금은 아니다.

*과거분사가 절대 수동태가 아님을 알 수 있다.

'be동사 + 과거분사'는 지속상태가 현재완료나 과거완료보다 짧고 일시적일 때 주로 사용한다. 이때 역시 실질적 시제는 'be동사'가 결정한다.

am, are, is + 과거분사 = 현재의 상태를 의미

was, were + 과거분사 = 과거의 상태를 의미

will(shall) be + 과거분사 = 미래의 상태를 의미

위에서 보는 바와 같이 be동사의 시제가 문장의 실질적 시제를 결정하고 있다.

I am tired. 나는 지금 피곤한 상태야

I have been tired. 나는 계속 피곤한 상태로 있어.

'am + tired'에서 'am'을 현재완료로 만들어야 하므로
'have been' = have(has) + p.p인 been이 왔다.

('I have tired'라고 하면 전혀 다른 뜻이 된다. 틀린 문장이다. tired가 타동사의 과거분사로 사용되어 '누군가를 괴롭히다'의 의미가 된다. 목적어가 있어야 한다.)

He has tired me these days.

그가 요즘 나를 괴롭혀.

*우리말의 입장에서 보면 **tired** 과거분사가 '피곤하다'의 뜻으로 보여 형용사로 보이지만 영어 본래의 의미는 괴롭히고 있는 상태를 의미한다.

(동사의 종류 - 현재, 과거, 현재분사, 과거분사가 있다.

 동사의 원형은 **be**동사만 존재하며 다른 동사들은 원형과 현재형이 동일하다.)

2-1   동사 + 전치사

(*s=주어, v=동사, c=보어, o=목적어, oc=목적보어
  문장 끝 괄호 안의 숫자는 1~5 형식 중 하나를 의미)

'동사 + 전치사' = '동사'

우리말 입장에서 보면 하나의 동사로 간주하는 것이 좋다.

1) carry on 진행하다, 계속하다.

s   v
The show *must carry on*, no matter what. (1)

무슨 일이 있어도 쇼는 진행되어야 합니다.

s   v
The music band *decided* to carry on without lead singer. (3)

그 음악 밴드는 리드 싱어 없이 진행하기로 결정했다.

v   v
Carry on and *stay* focused on your goals. (1, 1)

계속하세요, 그러면 당신의 목표에 집중되는 상태가 됩니다.

(*명령어이므로 주어가 생략되었다.)

2) come on 오라구, 자, 어서... 등등

s v o oc
He *asked* her *to come* on the stage and speak.

(5)

그는 그녀에게 무대에 와서 연설하는 것을 청했다.

(*speak가 원형이므로 to come and speak에서 'to'를 생략)

     v   v   o
Come on, *don't give up* on your dreams. (3)

자, 여러분의 꿈을 포기하지 마세요.

(*여기서 come on은 동사로 볼 수도 있고, 하나의 감탄사처럼 쓰였다고 볼 수도 있다.)

  v   v   o   oc
Come on, *let*'s *focus* on the task at hand. (5)

자, 이제, 당면(손에 있는) 과제에 집중합시다.

(*일종의 명령어(간접명령어라 함)이므로 주어 생략되었고 let이 사역동사이므로 to focus에서 'to'가 생략. 원래 문장은

You let us to focus on the ......)

직역; 여러분은 시켜주세요, 우리가 집중하도록 on the....

               v   o
Come on, *join* us for dinner tonight. (3)

오늘 밤 저녁에 우리와 함께 하자구, 어서.

```
 S      V
```
You *should come* on the same page about our goals. (1)

너희는 목표를 위해 같은 입장에 서야 해.

직역; 너희들 우리 목표에 대해 같은 페이지 위로 와야 해.

```
 S    V    O    O
```
She *told* me to come on the bus with her. (4)

그녀는 함께 버스에 타자고 나에게 말했다.

```
 S    V
```
We *were excited* to come on board with the new initiative. (1)

우리는 새로운 계획에 동참하게 되어 기뻤다.

직역; 우리는 새로운 계획을 갖고 갑판 위로 와 흥분했다.

(*'be+과거분사=동사'로 인식하는 것이 좋다. 그래야 5형식 문장 구분도 가능해진다. 실용적인 인식과 구분이다.)

3) die on ~ 언제 죽었다. (*언제는 구체적이어야 함)

```
 S     V
```
She *died on* July 1st 2023. (1)

그녀는 2023년 7월 1일 죽었다.

(*날짜가 있으면 'on', 월이나 년도만 있으면 'in'을 사용

   She died in July, 2023. She died in 2023.)

s　　　　　　　　v
The old man peacefully *died on* a summer evening. (1)

그 노인은 어느 여름날 저녁 평화롭게 죽었다.

　　s　　　　　　　v　　　o
The elderly coupled *wished* *to die* on the same day. (3)

그 나이 많은 커플은 같은 날 죽기를 바랬다.

4) get on 진행하다, 계속하다.

　　s　　v
Can they *get on* with the task at hand? (1)

그들이 그 과제를 쉽게 수행할 수 있을까요?

(*at hand 손 쉽게 - 손에 있으므로

여기서 'with the task' 전부를 'get on'의 목적어로 볼 수도 있다. 형식적으로는 전치사를 포함하는 'with + 명사'가 목적어가 될 수 없으므로 문장은 1형식 취급함)

　s　　v　　　o
We *need* *to get on* with our studies to pass the exam. (3)

시험에 통과하기 위한 우리의 연구를 계속할 필요가 있습니다.

　　　　　s　　　v
How *did* your son *get on* at the interview? (1)

너의 아들 인터뷰는 잘했니(어땠니)?

5) happen on 발생하다, 일어나다.

S   V
Miracles *can happen on* ordinary days. (1)

기적은 평범한 날에 일어날 수 있다.

(*기본적으로는 전치사 'on'은 'ordinary days' 앞에 위치하는 것이 맞지만 'happen' 다음에 시간이 온다면 'at'이 아니라 'on'을 사용한다는 인식을 하면 영작이나 회화를 할 때 훨씬 잘 떠오르고 사용성이 좋다.)

S   V   O
Great discoveries *happen on* the brink of failure. (3)

위대한 발견은 실패의 순간에 발생합니다.

S V   O
Mistakes *happen on* the path to success. (3)

실수는 성공의 과정에서 일어납니다.

(*to success는 직역하면 '성공을 직접 향한'이 된다.

 'the path to success'는 성공을 향한 길(통로, 과정)

S   V
The event *is set* to happen on a grand scale. (1)

그 행사는 대규모로 열리도록 확정되었습니다.

(*'be + set' 형태이므로 'set'는 과거분사. 즉 '고정된, 설치된 상태를 의미 'to + happen on' 일어나도록, 발생하도록 의미하며 'to' 부정사 형태다. 'a grand scale' 은 'to happen on'의 목적어)

s   v
Important decisions *should not happen on* impulse. (1)

중요한 결정들은 충동적으로 발생하지 말아야 합니다.

6) hold on 개최하다, 열리다, 붙잡아 두다.

 s v
Can you *hold on* for a moment? (1)

잠깐동안 있을 수 있지요?

직역; 잠깐동안 붙잡고(기다리고,) 있을 수 있지?

7) move on 다음으로 이동하다, 움직이다.

s v   v
We *moved on* from the past and *focused on* the future. (1, 3)

우리는 과거로부터 이동해서 현재에 초점을 맞췄습니다.

s v c
It *is* time to move on with our plans. (2)

(*이처럼 하고 싶은 말을 먼저 말하고 그 이유나 내용은 뒤에서 표현하는 특징이 영어에 있다. 강조하려고 한다.

It is nice, good, great ... 등등

It is time to go.

이제 갈(떠날) 시간이네.)

우리의 계획을 갖고 움직여야 할 때입니다.)

   V   O OC
Let's *move on* to the next item on the agenda. (5)

우리 의제의 다음 안건으로 넘어갑시다.

(*원래 문장은 You let us to move on to the......

   명령어(간접명령어)이므로 'you' 생략, 사역동사 'let'이
   므로 to move on에서 'to' 생략)

     S   V
Shall we *move on* to the next chapter in the book? (1)

우리 책의 다음 장으로 넘어갈까요?

S V
I *moved on* to the main points of the presentation. (1)

나는 발표의 중심 사항으로 넘어갔습니다.

8) pay on 지불하다

S V   O
I *decided* *to pay on* the first of every month. (3)

나는 매월 초에 지불하기로 결정했다.

```
S   V      O
```
He *agreed* to pay on a monthly basis for the service. (3)

그는 서비스에 대한 비용을 매달 지불하는 것에 동의했다.

```
S    V       O
```
She *prefers* to pay on time to avoid late fees. (3)

그녀는 연체료를 피하기 위해 제 때에 지불하는 것을 선호한다.

```
V   O  OC
```
Let's make sure to pay on the agreed-upon terms. (5)

계약 기간에 지불하는 것을 확실히 해야 합니다.

직역; 여러분은 우리가 확실하게 하도록 시켜주세요. 계약된 조건 위에서 지불되도록.

(*원래 문장은 You let us make sure to pay on .....

　　명령어(간접명령어)이므로 'you 여러분' 생략, let이 사역동사이므로 'to make'에서 'to' 생략)


```
S    V     O
```
We *chose* to pay on the spot for the repair service. (3)

우리는 수리 서비스 시점에 지불하는 것을 선택했다.

9) play on 계속 놀다, 운동하다, 연주하다. 연기하다.

S　　　　　V　　C
<u>Both teams</u> *were* <u>eager</u> to play on. (2)

양쪽 팀은 열심히 경기를 계속했다.

S　　　　　　　　V　　　O
<u>The chess players</u> *agreed* <u>to play on</u>, continuing
　　　　　　　　S　　　　　V
the match until <u>a clear winner</u> *emerged*. (3, 1)

체스 선수들은 명백한 승자가 나올 때까지 시합을 이어가면서 경기를 하기로 합의했다.

　　　　　　　　　　　S　　　　V　　　　　O
Despite the injury, <u>the athlete</u> *was determined* <u>to play on</u>. (3)

부상에도 불구하고 운동선수는 계속 경기를 진행하기로 결정되었다.

2-2 동사 + 전치사 + 목적어

가장 일반적인 경우로 보통 숙어라고 하며 전치사의 목적어가 수반되므로 '동사 + 전치사'가 타동사의 역할을 한다. 그러므로 전치사의 목적어가 아니라 동사의 목적어라고 해도 무방할 것 같다.

전치사가 명백하게 부사적으로 사용한 경우까지 숙어라고 일컬을 필요까지는 없지만 다소 억지라 하더라도 이렇게 공부하는 것이 기억에도 도움이 되고 활용성도 높다.

1) appear on ~에(에게) 나타나다

   appear 동사의 성격 상 '~에 나타나다'의 의미로 사용될 가능성이 매우 높다. 거의 'on'이 사용되므로 그 뒤에 나오는 표현이 장소나 시간일 지라 하더라도 'appear on'으로 익히는 것이 좋다.

S　　　　　V
Many stars *appeared on* the night sky. (1)

많은 별들이 밤하늘에 나타났다.

S　　V
A bee *appears on* the flower. (1)

한 마리 벌이 꽃에 나타납니다.

S　　　　　　　　　　　　　V
The symptoms of the disease *appear on* the patient. (3)

질병의 증상들이 환자에게 나타납니다.

```
  S              V              O
The new items appeared on the market. (3)
```

새로운 아이템이 시장에 출시되었습니다.

```
  S          V
The moon appears on the horizon. (1)
```

달이 지평선에 나타납니다.

2) break on ~에 의해서, ~에서, ~에 대해

```
  S          V
The glass broke on the floor. (1)
```

유리가 바닥에 깨졌다.

(*~바닥에서 부딪혀 깨졌다.)

```
  S         V
The news broke on the TV. (1) 뉴스가 TV에 나왔다.
```

```
  S           V
The storm broke on the coast. (1)
```

폭풍이 해안에 들이쳤다.

```
  S             V            O
The silence broke on the sound. (3)
```

침묵이 그 소리에 깨졌다.

```
  S                  V           O
The negotiations broke on a disagreement over the terms. (3)
```

협상이 계약 조건의 불일치로 깨졌다.

직역; 협상이 깨졌다. 조건을 넘어서는 동의가 아닌 위에서.

3) bring on ~을 가져오다, ~을 데려오다. ~을 야기하다,
   ~으로 인해, ~에, ~을 위해

<u>Can</u> <u>you</u> *bring on* <u>the music</u>? (3)
　s　　v　　　　o

음악을 틀어줄 수 있지?

(*'Can you bring the music on?' 이 문장도 의미상으로는 비슷하다. 하지만 ~ the music on'은 어느 특정 음악을 강조하거나 구체적인 느낌을 주고 싶을 때 표현한다. 어쩌면 'the music'을 올려놓은 상태로 가져오라는 의미 때문이 아닌가 여겨진다.)

<u>The storm</u> *brought on* <u>the damage</u>. (3)
　s　　　　v　　　　　o

폭풍이 피해를 입혔다.

Bring on <u>the challenge</u>! (3) 도전을 해보세요!
　v　　　　　o

<u>The policy</u> *brought on* <u>the change</u>. (3)
　s　　　　v　　　　　o

그 정책은 변화를 가져왔다.

4) call on   ~에게 요청을 하다

V   O
Don't hesitate to call on your family for assistance. (3)

가족들로부터 지원받는 것을 주저하지 마세요.

S V   C
It *is* imortant to call on experienced professionals' advice. (2)

경험 있는 전문가들의 자문을 요청하는 것은 중요하다.

(*professionals'   소유격을   사용하지   않으려면 experienced professional for advice라고 하면 된다.)

S   V   O   OC
The professor *asks* the students to call on their human network for job opportunities. (5)

교수는 학생들에게 취업 기회를 위해 자신들의 인적 네트워크를 활용하라고 요구했다.

5) carry on ~ 일을 진행하다

S   V   O
You *should carry on* the project until completion. (3)

너는 완성할 때까지 그 프로젝트를 계속 진행하여야 한다.

V   O OC   S   V
Let*'s carry on and finish** what **we *started. (5, 3)

우리가 시작한 것을 진행하여 끝냅시다.

(*일종의 명령어(간접명령어라 함)이므로 주어 생략되었고 let이 사역동사이므로 to carry, finish에서 'to'가 생략)

Despite the difficult circumstances, the captain
                                            s
 v   o
managed to carry on his journey. (3)

선장은 어려운 환경에도 불구 항해의 진행을 관리했다.

 v   o   s   v
Carry on the good work, your efforts are
appreciated. (3, 1)

좋은 일은 계속하세요, 당신의 노력은 은혜를 받습니다.

   v   o   oc   s   v
Let's carry on the conversation, we are
interested in your perspective. (5, 3)

대화를 진행하시지요. 우리는 여러분의 전망에 관심이 있습니다.

(*일종의 명령어(간접명령어라 함)이므로 주어 생략되었고 let이 사역동사이므로 to carry에서 'to'가 생략)

   v   o oc
Let's carry on the discussion in the next meeting. (5)

다음 회의에서 토론을 진행합시다.

6) continue on ~을 계속하다. (끊임없이 이어져서)

S V   O
I *continue on* the journey despite the challenges. (3)

나는 여러 도전에 불구하고 나의 여정을 계속한다.

(*일반적으로 여행을 계속할 때는 'keep on traveling'을 더 많이 사용한다. 'continue on or continue'는 어떤 뚜렷한 목적이나 행동을 강조하고 싶을 때 주로 사용한다. 따라서 위 예문은 'despite the challenges 도전에도 불구하고'라는 말이 있기 때문에 강조하는 느낌으로 적절한 표현이며 대개 **despite** 단어가 있으면 **continue**가 많이 사용된다.)

                                       S   V
Despite the stormy weather, the ship captain d
         O
ecided to continue on their course to the next port. (3)

폭풍 날씨에도 불구하고 선장은 다음 항구까지 항해를 계속 이어 가기로 결정했다.

7) cut on ~를 자르다

S V   O
I *need* to cut on the dotted line. (3)

점선 위를 자르고 싶어.

V   C
Be *careful* not to cut on the wrong side (2)

엉뚱한 면을 자르지 않도록 조심하세요.

(*주어 you(너, 당신, 여러분)이 생략된 일종의 명령문)

S   V   O
The instructions *say* to cut on the designated spot. (3)

사용법에 지정된 곳을 자르라고 나와있다.

(*보통 상품에 적힌 사용법은 'say'라고 표현한다. 복수이므로. ~ are saying 진행형으로 쓰기도 한다.)

S   V   O
The recipe *advises* to cut on the inner circle. (3)

요리법은 안쪽에 있는 원을 잘라내라고 권합니다.

V   O
Make sure to cut on the perforation. (3)

꼭 절취 부위를 잘라주세요.

(*일종의 명령어 이므로 주어 'you'가 생략되었다.
   make sure to + 동사(to 부정사)
   또는 that 주어 + 동사 (절)로 표현되는 이 방법은
   꼭(반드시) ~해라, 반드시 ~을 해야 한다'의 표현으로 사용한다.)

8) decide on ~을 하기로 결정하다

'~'을에는 동명사가 목적어로 온다. 항상 전치사의 목적어는 성격상 명사가 올 수밖에 없으므로 'to 부정사' 대신 행동을 의미하는 '~ing' 동명사가 온다.

대개 '결정하다'는 어떤 행동을 결정하는 것이므로 동사를 명사화한 동명사가 온다.

S V   O
I *decided on* buying a new house. (3)

새 집을 사기로 결정했다.

S V   O
He *decided on* attending the seminar. (3)

그는 그 세미나에 참석하기로 결정했다.

S V   O
We *decided on* trying a new restaurant for dinner. (3)

우리는 새로운 식당에서 저녁 먹는 것을 시도해보기로 결정했다.

S V   O
They *decided on* going for a hike in the mountains. (3)

그들은 산으로 도보 여행을 가기로 결정했다.

9) develop on ~을 개발하기로, 발전하기로,

S   V   O
The company *plans* to develop on its existing

technology. (3)

회사는 자신이 보유하는 현재의 기술을 발전시키는 계획을 한다.

(*plan 뒤에는 거의 to 부정사가 온다. 예정이므로)

s   v   o
They *want* to develop on the ideas discussed in the meeting. (3)

그들은 회의에서 논의된 아이디어들을 개발하기를 원한다.

s   v   o
Seoul city *has planned* to develop on its infrastructure. (3)

서울시는 자신의 사회 기반 시설을 발전시키는 계획을 해 오고 있다.

s   v   o
Marketing manager *intends* to develop on the customer satisfaction levels. (3)

영업담당 책임자는 고객 만족 수준을 발전시키려는 경향이 있다.

(*intend 뒤에는 거의 to 부정사가 온다. 예정이므로)

s   v   o
The chef *plans* to develop on the restaurant's menu. (3)

요리사는 식당 메뉴를 개발하는 계획을 한다.

10) die on ~에서 죽다, ~를 난감하게 하다.

　　　　　S　　　　 V
The soldier _died on_ duty while serving in a foreign land. (1)

그 군인은 외국 땅에서 복무 중 근무를 하다 죽었다.

(*전치사 on은 'on duty'를 하나의 의미로 보아 '의무 중', '복무 중'으로 볼 수 있다. 하지만 'died' 동사 성격 상 시간이 아니라면 어떤 임무나 일을 하는 중이므로 'on'으로 기억하고 사용하는 편이 훨씬 활용 가치가 있다.

while은 단어의 성격상 진행형이 오는 경우가 대부분이다. 그래서 이 문장은 while he was serving이 원래의 문장이지만 주어와 시제가 동일하므로 'he was'가 생략되었다. 만일 주어가 다르다면 당연히 생략해서는 안된다. 내용상 주어가 다르더라도 시제는 같을 수밖에 없다.)

　　　S　　　　　　　　　　　　V
The flowers in the garden _died on_ us during the drought. (1)

정원에 있는 꽃들은 가뭄 동안 우리에게서 죽었다.

(*위 문장에서 'during'도 ~ 동안이라고 해석하는데 'while'과 다른 점은 'during' 다음에는 단어(혹은 구)가 오지만 'while' 다음에는 문장(주어+동사가 있는)이 와야 한다. '동사의 ~ing'형인 현재분사가 와서 주어가 없는 것처럼 보이지만 생략한 것이지 없는 것이 아니다.)

S   V
The gas *has died on* us. (1)

휘발유가 떨어져 우리를 난감하게 했다.

 (*사실은 'The gas has died'가 맞는 표현이고 '우리한테'라는 표현 때문에 'on'이 사용되었다. 그러므로 단순히 '휘발유가 떨어졌다'는 표현은 'on'이 필요 없다. 'die on'이 숙어가 아니라고 볼 수도 있다. 그러나 '~에게'라고 표현할 때는 숙어처럼 'die on ~'라고 기억하는 게 좋다.

마찬가지로 'The battery died.'는 '배터리가 방전되었다'는 표현이다. 'The battery died in my car. 내 차 배터리가 방전되었어'라고 표현한다. 여기서는 'my car' 안에 배터리가 있으므로 'in my car'라고 해야 맞다.)

11) drive on ~을 운전하다, ~에서 운전하다, 운행하다.

S V
I *will drive on* the highway to get there faster. (1)

나는 더 빨리 거기에 가기 위해 고속도로를 운전할 것이다.

S   V   O
The couple *loved* to drive on winding mountain roads. (3)

그 커플은 바람 부는 산길 운전을 매우 좋아했다.

S   V
The bus *drives on* the designated route through the city. (1)

그 버스는 도심지를 통과하는 정해진 루트를 운행한다.

S　　　　　　V　　　　　O　　　　OC
<u>The police officer</u> *instructed* <u>the driver</u> <u>to drive on</u> the shoulder. (5)

경관은 운전자에게 갓길로 차를 몰라고 명령했다.

S　V
I *drove on* the back roads to explore the countryside. (1)

나는 시골을 탐험하기 위해 시골길로 운전했다.

12) explain on ~에 관해 설명하다.

　　　S　　V　　　　　O　　　S　　　　V
Can <u>you</u> *explain on* <u>what basis the decision was made</u>? (3, 1)

당신은 무슨 근거로 결정이 났는지 설명할 수 있습니까?

(*explain on의 목적어로 'what basis ~' 이하 문장이 왔다. 즉 목적절이 왔다. 목적절의 주어는 'the decision'이고 동사는 'was made'다.)

V　　　　　　S　　V
Explain on <u>why</u> <u>you</u> *arrived* late to the class. (3, 1)

너 왜 수업에 늦었는지 설명해봐.

(*why 이하 문장은 'explain on'의 목적어(목적절) 문장이므로 3형식)

S　V　　　　　　O
<u>He</u> *explained on* <u>the process of setting up</u> the

software. (3)

그는 소프트웨어의 설정 과정을 설명했다.

　　　S　　　　　V　　　　　O
<u>The manager</u> <u>*explained on*</u> the details of the project. (3)

책임자가 그 프로젝트에 대해 상세 사항을 설명했다.

　S　　　　V　　　　O
<u>Referee</u> <u>*will explain on*</u> <u>the rules</u> of the competition. (3)

심판이 경쟁의 규칙에 대해 설명할 것이다.

13) fall on ~에 떨어지다. ~에 내려오다.

> 뭔가 물리적인 것에 떨어지는 경우가 많으므로 대개 'on'이 수반되지만 추상명사가 올 때는 구체적인 접촉 상태가 아니고 범위가 훨씬 넓다고 볼 수 있는 'in'을 사용한다.
>
> I fall in love with you. 나는 당신과 사랑에 빠졌어.
>
> The shadows fall in opposite directions.
>
> 그림자는 반대편 방향으로 생깁니다(떨어진다).

　S　　　　V
<u>The leaves</u> *fall on* the ground in autumn. (1)

가을에는 땅에 낙엽들이 떨어집니다.

S　　　　V
Raindrops *fall on* the windowpane during the storm. (1)

폭풍우 동안 빗방울들이 창유리에 떨어졌다.

　　S　　　V
The apple *fell on* the ground from the tree. (1)

사과가 나무에서 땅으로 떨어졌다.

　　　　　S　　V
When night *falls on* the desert, the temperature drops. (1)

사막에 밤이 되면(떨어지면) 기온이 떨어집니다.

(*fall은 주로 중력 등의 자연 상황에서 '떨어지다'의 의미로 사용되고 같은 의미인 drop은 의도적으로 혹은 예기치 않지만 사람이나 동물, 사물 등에서 떨어진 상황에 주로 사용된다. 일반적으로 기온이 떨어지면 'the temperature falls'가 맞지만 갑자기 떨어지는 상황을 표현하고 싶다면 'the temperature drops'가 더 낫다.)

　　　S　　　V　　　　　　S　　　V　　O
As darkness *falls on* the city, the lights *start* to shine. (1, 3)

도시에 밤이 오면 불빛이 빛나기 시작합니다.

14) feel on ~에 올라선 느낌이 든다

S V　　　O
I *feel on* cloud nine. (3)

난 기분이 최고로 좋아.

(*구름 위에 뜬 느낌... 'nine'인 '9'는 구름의 등급 중 가장 위에 있는 고도를 의미한다. 최고의 구름 위에 있다는 비유적 표현이다.)

　　　s　　v　　　o
He *felt on* edge about the exam. (3)

그는 시험 때문에 초조했다.

직역; 그는 시험에 대해 가장자리 위에 있음을 느꼈다.

(*on edge '가장자리 위에 있다'는 의미로 종종 긴장, 초조, 예민 등의 상태에 사용된다. edge는 종종 멋있다는 표현으로도 사용된다.

　She has an edgy style. 그녀는 멋있다.
　Her hair cut gives her an edgy look.
　그녀의 머리결은 멋지게 보이게 해줘.
　I love his edgy sense of humor.
　나는 그의 멋진 유머감각이 좋아.
　This movie has an edgy soundtrack.
　이 영화는 음향이 멋져.)

The team was on edge before the championship.

그 팀은 우승 경기 전에 긴장되었다.

The on-edge excitement reached its peak.

흥분된 긴장은 최고조에 달했다.

The new Hyundai car has an edgy design.

그 현대 신차는 디자인이 멋지다.

She has an edgy and avant-garde flair.

그녀는 멋지고 아방가르다한 면모를 가지고 있다.

The cutting-edge technology in Samsung smart phones surprises us.

삼성의 스마트폰에 있는 첨단 기술은 우리를 놀라게 한다.)

  S V   O
They *feel on* the cutting edge of technology. (3)

그들은 기술의 최첨단에 있다고 느낍니다.

     S   V   O
The soccer team *feels on* the brink of victory. (3)

축구팀은 승리의 순간이라는 감이 왔다.

 S V   O
She *feels on* good terms with her friends. (3)

그녀는 친구들과 사이가 좋습니다.

 S V O
We *feel on* par with them. (3)

우리는 그들과 동등하다고 느낍니다.

(*골프 용어에서 'par'는 동등을 의미한다. 즉 해당하는 홀의 기준 타수에 동등한 타수를 쳤다는 뜻이다.

I shot par on the golf course this time.

나 이번 코스에서 파 했(쳤)어.)

S　　　　V　　O
The project *feels on* track for success. (3)

그 프로젝트는 성공적으로 진행되는 느낌이다.

직역; 그 프로젝트는 성공을 향해 트랙 위에 있는 느낌

15) follow on ~선례를 따르다, 그 뒤를 따르다

S　V
We *will follow on* their lead. (3)

우리는 그들의 선례를 따라갈 것입니다.

　　　　V　　　O　　　　　　O　C
Please follow on the instructions provided. (5)

제시된 명령어에 따라주기 바랍니다.

(*명령 문장이므로 주어 'you'가 생략되었다.)

S　　V　　　　　O　　　　　O C
We *should follow on* the progress made so far. (5)

우리는 지금까지 진행 상황을 따라야만 한다.

(*the progress made 만들어진 진행, 실행된 진행)

S　　　　　V　　　O
The company *plans* t*o follow on* the current market trends. (3)

회사는 현재 시장의 추이를 따르는 계획을 짜고 있습니다.

16) get on ~에 (올라)타다

　　주로 큰 교통 수단 배, 비행기, 버스 등에 사용한다.

　　작은 차는 들어가므로 get in ~을 사용한다.

　　Get in the car. 차에 타(들어가)

s　v　　o
We *got on* the plane(bus). (3)

우리는 비행기(버스)에 탔다.

v　o o c
Let's get on the train to downtown. (5)

우리 시내로 가는 기차를 탑시다.

(*원래 문장은 You let us to get on the train....
　에서 명령문(간접명령어)이라서 주어 'you' 생략.
　　let 동사(사역동사) 뒤에 오는 to 부정사는 'to' 생략)

s　v　　 o
We *had to get on* the highway to reach the destination. (3)

우리는 목적지에 가기 위해 고속도로를 타야만 했어요.

(*일부 문법에서 'have to'가 조동사라고 언급한 것은 잘못이다. 어디까지나 'have'가 동사로 사용되었다. 그래서 부정문도 'We didn't have to....라고 한다.

조동사라면 'We had not to' 이렇게 해야 하는데 그렇게 표현하지 않는다.)

S V C
It *is time* to get on the ferry for the tour. (2)

투어를 위해 페리를 탈 시간입니다.

S   V
The children *were excited* to get on the roller coaster. (1)

아이들이 롤러코스터를 타고 너무 신났습니다.

S   V   O
They *got on* the elevator to reach the top floor. (3)

그들은 꼭대기 층으로 가려고 엘리베이터를 탔다.

17) go on ~을 진행하다. ~을 하다.

S   V
What *is going on*? (1)

무슨 일이 지금 일어나고 있는 거야?

직역; 무엇이 지금 가고 있는 중이니?

V   O OC
Let's *go on* a hike this weekend. (5)

이번 주말에 하이킹 한번 갑시다.

(*원래 문장은 You let us to go on a hike....

에서 명령문(간접명령)이므로 주어 'you'를 생략하고 'let' 이 사역동사이므로 바로 뒤의 부정사는 'to'가 생략된다.)

    S   V   O
We *decided* to go on a vacation to Jeju island. (3)

우리는 제주도로 휴가를 가기로 결정했다.

   S   V   O
He *wants* to go on a date with her next weekend. (3)

그는 다음 주에 그녀와 데이트하기를 원했다.

직역; 그는 하나의 데이트 위에서 가기를......

(*이처럼 'a 보통명사'를 'go' 다음에 사용하면 어떤 상황을 진행하거나 '~을 목적으로 가는' 표현에 사용한다. 그러므로 이와 유사한 표현을 할 수 있으리라 본다.)

  S   V
We *went on* a sightseeing tour in the city yesterday. (1)

우리는 어저께 시내 관광을 갔다.

    S   V   O
Our team *decided* to go on a mission to improve customer satisfaction. (3)

우리팀은 고객 만족을 향상하기 위한 임무를 진행하기로 결정했다.

18) grow on ~ 하에서, 조건에서, 바탕으로 성장하다.

S   V   O
The boy *wants* to grow on his own terms. (1)

그 소년은 자신만의 조건(상황)으로 성장하고 싶어한다.

S   V
The flowers *grow on* the sunny side of the garden. (1)

그 꽃들은 정원의 햇빛이 드는 쪽에서 성장합니다.

S   V
Skills naturally *grow on* consistent practice. (1)

숙련된 기술은 끊임없는 연습에서 자연스럽게 성장한다.

S   V
Understanding *can grow on* open communication. (1)

이해는 개방된 소통을 바탕으로 발전합니다.

19) hold on (to) ~을 붙잡다, ~에 머무르다.

    주어가 '머무르고 있다'의 의미다. 'to ~' 이하는 '~을 향해서' 즉 '~을 향하여 머무르다'의 뜻으로 해석하면 직역의 의미를 알 수가 있다. 결과적으로는 'to ~'를 붙잡고 있는 의미가 된다.

V   V   V
Hold on to your dreams, they *will come* true. (3, 1)

당신의 꿈을 붙잡고 있으면 그 꿈들은 이루어진다.

직역; 머물고 있으세요, 당신의 꿈들을 향해, 이루어질 것입니다

(*'to your dreams'는 직역하면 '당신의 꿈들을 향해서'의 의미가 된다. 의역을 하면 '당신의 꿈을 붙잡으세요'가 되어서 목적어로 보일 수도 있다. 어느 쪽으로 결정해도 상관없다. 형식은 정확한 해석을 위해서 단어나 구의 성격을 구분하는 것이지 절대적인 것은 아니다.)

<u>The team</u> *tried* <u>to hold on</u> to their lead until the end of the game. (3)
　s　　　 v　　 o

팀은 시합이 끝날 때까지 리드를 유지하려고 노력했다.

<u>You</u> *should hold on* to that opportunity, <u>it</u> *may not come* again. (3, 1)
　s　　 v　　　　　　　　　　　　　　 s　 v

당신은 그 기회를 붙잡고 있어야 합니다. 다시 오지 않을지도 모릅니다.

Please *hold on* to your ticket, <u>you</u>*'ll need* <u>it</u> for re-entry. (3, 3)
　　　 v　　　　　　　　　 s　 v　　 o

표를 잘 갖고 계세요, 다시 들어가려면 필요할 겁니다.

In a strong wind, <u>it</u> *is* <u>important</u> to hold on to your hat. (2)
　　　　　　　　 s　v　　 c

바람이 강할 땐 모자를 잡고 있는 것이 중요합니다.

    V   S   V   C

Hold on to the belief that things *will get* better. (3, 2)

그것들이 더 나아질 것이라는 신념을 갖고 있어라.

(*that은 지시대명사가 아니라 관계대명사다. 'that'은 선행사 'the belief'를 의미한다. 만일 지시대명사라면 'that things'가 'belief'를 의미하는데 그러면 복수가 되어야 한다. 추상명사는 복수로 표현하지 않는다. 관계대명사 'that'을 생략해서 의미 전달에 문제가 없으면 생략해도 좋다. 그러나 관계대명사 'that'이 주어로 사용되었을 때는 생략하면 안된다. 생략하면 선행사가 주어인지 헷갈릴 수 있다.)

  S   V

The movie that won the award *is now playing*. (1, 3)

상을 받은 영화가 지금 상영 중이다.

(*위의 문장은 아래처럼 2개로 구성되어 있다.

    The movie is now playing. 그 영화는 상영 중이다.

    that won the award. 그 영화는 상을 받았다.

'that'은 관계대명사인 'the movie'를 의미. 동시에 'that' 절의 주어다. 그러므로 'that'을 생략할 수 없다.

This is a car that was made in Korea.에서

'that'을 생략하면

This is a car was made in Korea.

a car가 보어인지 주어인지 헷갈려서 안되고 문법적으로도

맞지 않는다.)

20) lead on ~을 이끌다

```
S         V            O              OC
```
The captain *will lead on* the mission to rescue the hostages. (5)

대장이 인질들을 구하는 임무를 이끌게 될 것입니다.

```
S      V            O
```
The CEO *is expected* to lead on the strategy.

CEO가 전략을 주도할 것으로 예상된다.

```
S                          V
```
The project manager *has led on* the implementation of the new software. (3)

그 프로젝트 매니저가 새로운 소프트웨어의 실행을 이끌고 있다.

21) learn on ~을 배우다, 학습하다.

```
S V   O
```
I *want* to learn on the latest technology trends. (3)

나는 가장 최근의 기술 경향을 배우고 싶습니다.

직역; 나는 가장 마지막 기술 경향을 배우고 싶습니다.

```
S         V          O
```
Children *learn on* good behavior through positive

94

reinforcement. (3)

아이들은 긍정적 사고의 강화를 통해 좋은 행동을 배운다.

　　　　S　　　V　　　O　　OC
Traveling *allows* you to learn on different cultures. (5)

여행은 여러분이 다른 문화를 학습하는 기회를 준다.

S V C
It *is* essential to learn on time management for increased productivity. (2)

생산성 증가를 위해 시간 관리를 배우는 것은 필수적이다.

22) leave on ~을 남겨두다(~을 두고 떠나다)

　　V　　　　O　　　　　　　　　　　S
Don't forget to leave on the lights when you *go out*. (3, 1)

나갈 때 불을 켜두고 떠나는 것을 잊지마.

S　V　　　O
We *left on* the computer overnight for updates. (3)

우리는 밤새 업데이트를 위해 컴퓨터를 그대로 두었다.

S　　　V　　　O
The note *says* to leave on the documents on my desk.

서류를 내 책상 위에 놓으라고 쪽지에 적혀 있다.

```
  S      V            O              S      V
We will leave on the decision until everyone has
been heard. (3, 1)
```

우리는 모든 사람이 들을 때까지 그 결정을 미룰 것이다.

23) live on ~에 살다, 위에 살다, 위치에 살다

    live in ~은 비교적 넓은 장소, 지역을 의미하고

    live on ~은 구체적 장소나 의존하는 느낌을 준다.

```
    S         V
My parents live on the outskirts of city. (1)
```

우리 부모님은 도시 변두리에서 사십니다.

```
S   V
We live on a busy street. (1)
```

우리는 번화가에서 살고 있습니다.

```
     S              V
My friend, Henry lives on opposite sides of town.
(1)
```

내 친구 헨리는 도시 반대편에서 살고 있습니다.

(*'opposite side'는 구체적 묘사이므로 'in'보다는 'on'을 사용하여야 적절하다.)

```
S V
I live on the third floor of the apartment building.
(1)
```

나는 아파트 3층에 살고 있습니다.

S　V
She *had lived on* the top floor of the building. (1)

그녀는 한 때 그 건물 꼭대기에 산 적이 있습니다.

24) look on ~ (구체적 어느 면, 접촉면) 위를 쳐다보다

S　V　　　　　　O
You *should look on* the bright side of things. (3)

사물의 밝은 면을 보아야 합니다.

V　　　　O
Look on the table for the mobile phone. (3)

테이블 위에 휴대폰을 봐.

(*명령문 주어 'you'가 생략된 상태다)

V　O　OC
Let's look on the map to find the nearest metro station. (5)

가장 가까운 지하철 역을 찾기 위해서 지도(면)를 봅시다.

(*일종의 명령어(간접명령어라 함)이므로 주어 생략되었고 let이 사역동사이므로 to look에서 'to'가 생략. 그러나 to find는 let 때문에 온 동사가 아니므로 생략하지 않음.)

S　　V　　　O
We *had* to look on the website for more information. (3)

더 많은 정보를 위해 우리는 웹사이트를 봐야 했습니다.

(*have to는 조동사가 아니다. 그러므로 부정문은 'have not to'가 아니라 'don't have to'가 되어야 한다.)

Please *look on* the menu to decide what you order. (3, 3)
         v   o   o s v

주문을 결정하려면 메뉴를 봐주세요.

Look on the screen for the notification. (3)
v   o

알리는 내용은 화면을 봐주세요.

25) pass on ~을 넘기다, ~을 전달하다

    동사의 성격상 ~을 ~에게 넘긴다고 표현하는 경우가 많다. pass on ~ to ~처럼 뒤에 to가 많이 사용된다.

Please *pass on* the message to your friend. (3)
         v   o

너의 친구들에게 메시지를 전달해줘.

You *should pass on* the information to the relevant departments. (3)
s   v   o

너는 관련 부서들에게 정보를 넘겨야만 한다.

We *can pass on* the discount to our loyal customers. (3)
s   v   o

우리는 충성 고객에게 할인을 제공할 수 있다.

   v   o
Don't forget to pass on the feedback to the team. (3)

그 부서에 피드백 전달하는 것을 잊지 마.

s v   o
We *passed on* the invitation to all our guests. (3)

우리는 모든 손님들에게 초대장을 전달했습니다.

26) pay on ~으로 지불하다.

  s v
Can you *pay on* the company credit card? (1)

회사 카드로 낼 수 있어?

s v o
I *want* to pay on the mobile app for the online purchase. (3)

나는 온라인 구매를 휴대폰 어플로 결제하고 싶습니다.

s   v o
We usually *pay on* delivery for our supplies. (3)

보통 우리는 물품 배송비를 우리가 지급합니다.

27) play on ~을 갖고 놀다, 연주하다, 운동을 하다

  기본적으로는 'play'는 논다는 뜻이 강하다. 어쩌면 피아노와 같은 악기나 축구, 농구 같은 것도 처음에는

갖고 놀았을 것이다.

S V O
I *like* to play on the piano this evening. (3)

나는 오늘 저녁 피아노를 치고 싶어요.

S V O
I *like* playing on the piano. (3)

나는 피아노 치는 것을 좋아해요.

(*I play the piano; 나는 피아노를 칠 줄 알아.)

S V O
I sometimes *play on* the piano. (3)

나는 가끔 피아노를 쳐.

*그냥 보통 연주하는 것이 아닌 색다르거나 특이한 연주를 할 때 'on'과 함께 사용한다.

악기에는 보통 정관사 'the'를 붙여서 사용한다. 운동에는 'the'를 붙이니 않으며 'on'도 같이 사용하지 않는다.

만일 'on'을 사용한다면 운동 장소 등을 표현한 것이다.)

S V O
The kids *enjoy* playing on the swings at the park.

아이들은 공원에서 그네 타기를 즐긴다.

(*여기서 '그네'는 play on의 목적어가 아닌 'on the swings' '위에서' 혹은 '타고'의 의미라고 볼 수 있다. 즉 play가 타동사가 아닌 전치사 없이 자동사로 사용되었다고 보는 편이 좋다. 하나의 예문을 보여주고자 함. 아래 문장

도 유사한 경우)

   S   V   O
They *played on* the multiplayer mode of the game.

그들은 다수가 즐기는 게임 모드로 플레이를 했다.)

28) pull on ~을 끌어당기다

      pull ~과 같이 'on' 없이 사용할 수 있다. 'on'을 붙이면 강조하거나 끌어당기는 물건을 더 구체적으로 표현된다.

     S   V   O
The children *pulled on* the toy car with enthusiasm. (3)

아이들이 열정적으로 장난감 자동차를 끌어당겼다.

(*with + 추상명사는 직역하면 '추상명사를 갖고'의 의미가 되는데 대개 '형용사'로, 혹은 '추상명사 때문에' 의미로 사용된다.)

 S   V   O
She *tried* to pull on the zipper. (3)

그녀는 지퍼를 당기려고 노력했다.

S   V   O
I *pulled on* the rope to lift the big box. (3)

나는 그 큰 상자를 올리기 위해 로프를 끌어당겼다.

V   O
Pull on the handle to open the door. (3)

문을 열기 위해서는 핸들을 당기세요.

S   V   O
He *pulled on* the cord to turn on the light. (3)

그는 불을 켜기 위해서 코드를 잡아당겼다.

(*위의 예문들과 같이 **pull on** ~은 당기려는 행위다. 대개 어떤 동작을 취하게 되므로 뒤에 '**to + 동사**'가 자주 나타난다.)

29) remain on ~을 보류하다, 유지하다, 여전히 ~하다

　　'on' 없이 형용사가 오면 '~ 상태가 유지되다'의 의미

S   V   O
The decision *remains on* hold. (3)

그 결정은 잠시 보류되었다.

(*hold는 여기서 명사로 사용되었다. 명사로 '잡기, 쥐기'의 뜻이 있다.

S   V
His hold on her arm tightened. (1)

그녀의 팔을 쥔 그의 손에 힘이 들어갔다(탄탄해졌다).

이와 같이 영어 단어는 위치에 따라 품사가 바뀐다.)

S V   O
He *chose* to remain on the committee. (3)

그는 위원회에 남기를 선택했다.

S   V   O
The focus *remains on* finding a solution to the problem. (3)

초점은 그 문제에 대한 해결책을 찾는 것으로 남아있다.

S   V   O
The artwork *remains on* display until the end of year. (3)

그 작품은 년말까지 전시된 상태로 유지된다.

(*사실 'remains'를 자동사로 보고 'on display'를 '전시의 상태로' 보고 목적어가 아닌 위치로 볼 수 있다. 그러나 'remain on'을 하나의 동사처럼 취급하는 것이 익히기도 좋고 영작하기도 편하다.)

S   V   O
The project deadline *remains on* schedule. (3)

그 프로젝트 마감일은 일정대로 유지되고 있습니다.

(*이 문장 역시 'on schedule'를 시간으로 보고 동사를 자동사로 보는 것이 타당하다. 약간 무리지만 'remain on'을 용이한 학습을 위해 하나의 동사로 익히기를 권장한다.)

30) run on ~에 대한 것을 가동하다(운영하다).

S V   O
I *need* *to run* tests on the new software. (3)

나는 새로운 소프트웨어에서 테스트들을 하기 원한다.

S   V   O
The experiment *will run on* a small scale initially. (3)

그 실험은 처음에는 작은 규모로 진행될 것입니다.

S   V   O
The software update *runs on* your device automatically. (3)

소프트웨어 업데이트는 당신의 장비에서 자동으로 이루어집니다.

S   V   O   OC
The meeting *will run on* the agenda provided. (5)

그 회의는 미리 마련된 안건 하에서 진행될 것입니다.

S   V
The film *runs on* NETFLIX for the time being. (1)

그 영화는 당분간 넷플릭스에서 상영됩니다.

31) speak on ~에 관해 연설하다, (길게)말하다.

say < tell 보다 < speak 길게 말하는 경우 speak 사용

Do you speak English? 영어로 말을 하시지요?

영어로 길게 충분히 말하다 의미가 있다.

Do you say English? 웬만한 말은 영어로 하지요?

(*tell은 제법 길게 말하다 의미 tell me the story 처럼)

s v o
She *spoke on* the current issues during the meeting. (3)

그녀가 회의하는 동안 현재의 이슈에 대해 연설했다.

s v o
The expert *speaks on* the topic of artificial intelligence. (3)

전문가가 인공지능의 주제로 연설을 합니다.

s v o
He *plans to speak on* the challenges facing the industry. (3)

그가 산업에 직면한 도전에 관한 연설을 계획하고 있다.

s v o
I *want to speak on* the benefits of a healthy lifestyle. (3)

나는 건강한 삶의 방식의 이점들에 대해 연설을 하고 싶습니다.

v o
Please *speak on* your experiences in the field. (3)

실전에서의 경험을 말씀해주십시오.

32) start on ~에 착수하다, ~일을 시작하다

사실상 'on' 없이 사용해도 큰 차이는 없다.

다만 'on'을 붙이면 일의 첫 스텝? 첫 단계에 착수하는 의미가 강하다. 일을 시작하는 것이 구체적으로 보인다. 그러므로 비교적 큰 과업이나 긴 프로젝트 등등에서 사용된다.

S V   O
I *will start on* the new project tomorrow. (3)

나는 내일 새로운 프로젝트를 시작하려고 합니다.

S V   O
She *started on* the renovation of the kitchen. (3)

그녀는 부엌 개조를 시작했습니다.

S   V   O
They *start on* the design of the website. (3)

그들은 웹사이트의 설계를 시작합니다.

    S   V   O
Can we *start on* the creation of the budget? (3)

우리가 예산 수립을 시작할 수 있을까요?

S   V   O
The company *starts on* the production of the new items. (3)

회사가 새로운 아이템의 생산을 시작합니다.

33) stay on ~에 머무르다, 유지하다

S　　V　　　　O　　　　　S　　　　　V　　C
He *stayed on* the job until the project *was* complete. (3, 2)

그는 프로젝트가 완성될 때까지 그 일을 유지했습니다.

S V　　　O　　　　　　　　　　S　　V
I *planned* to stay on the course until I *graduated*. (3, 1)

나는 졸업할 때가지 그 과정을 계속하기로 계획을 세웠다.

V　O　OC
Let's stay on the agenda to finish the meeting on time. (5)

시간 내 회의를 끝내기 위해 그 의제를 지속하자.

(*일종의 명령어(간접명령어라 함)이므로 주어 생략되었고 let이 사역동사이므로 **to stay**에서 'to'가 생략. 그러나 **to finish**는 let과 연관된 동사가 아니므로 생략 안함.)

S　　V　　　　O
He *decided* to stay on the committee for another term. (3)

그는 다음 기간동안 위원회를 유지하기로 결정했다.

S　　V　　　O
She *wants* to stay on the diet for better health.

그녀는 더 건강하려고 다이어트를 유지하고 싶어한다.

S　　V
They *stayed on* the waiting list for available tickets. (1)

그들은 표가 가능할 때까지 대기표에 올리고 기다렸다.

34) suggest on ~에 대해 제안하다, 제시하다

　　suggest 동사의 성격상 어떤 행위를 제안할 가능성이 있다. 그러므로 '동사의 ~ing(동명사)형' 혹은 명사가 'on'의 목적어로 온다.

S　　V　　　　　O
She *suggested on* trying the new restaurant. (3)

그녀는 새로운 식당을 가(시도해) 볼 것을 제안했다.

V　　V　　　　　O
They *suggested on* improving communication.

그들은 향상된 소통을 제안했다. (3)

　　　S　　V　　　　　O
Can you *suggest on* a topic for the research paper? (3)

너희들 연구 논문을 위한 주제 하나를 제안할 수 있겠니?

S　　V　　　　　O
She *suggested on* rearranging the furniture for a fresh look. (3)

그녀는 신선하게 보이는 가구의 재배치를 제안했다.

S　　　　　V　　　　　O
The committee *suggested on* a amending the

proposal. (3)

위원회는 제안의 수정을 제안했다.

S　　V　　　　　O
They *suggested on* updating the software for better performance. (3)

그들은 향상된 작업을 위해 소프트웨어의 개선을 제안했다.

35) take on ~을 갖는다, 취하다, 손을 대다

　　take 동사는 기본적으로 '갖는다'의 의미가 강하다. 손을 대고, 취하고 등등 대부분 결국 소유하는(갖는) 것인데 그 소유 기간이 아주 짧은 경우라고 보면 된다. get과 have도 소유하는 의미는 같다. 하지만 그 소유 기간이 긴 정도에 따라

　　take < get < have 라고 볼 수 있다.

　　예를 든다면

　　I take a taxi to go shopping.

　　난 쇼핑 가려고 택시를 타.

　　I get a car. 나는 차가 하나 생겨.

　　I have a car. 나는 차를 소유하고 있어.

　　전부 소유인 것은 맞지만 take는 아주 잠시, get은 아직 완전히 소유하지 않은 상태지만 다소 길게, have는 완전 소유다.

　　이 예는 개념을 얻기 위해 잠시 설명한 것이고 각각의

동사 전체를 완전히 설명하는 건 아니지만 도움이 될 것이다.

S V   O
I *take on* the responsibility of managing the team. (3)

나는 그 팀을 관리하는 책임을 지고 있다.

(*'~ on'이 없어도 의미는 비슷하지만 'on'이 있으면 강조하는 의미도 있으며 약간 일시적이거나 어떤 특별한 임무가 주어지는 뉘앙스가 있다. 그 임무의 특별성이나 책임감을 강조한다.

'~ on'이 없다면 일반적으로 책임의 내용이나 책임을 인식하는 등의 비교적 일반적 의무를 의미한다. 특별하기보다 그 책임의 내용을 인식하는 것에 뉘앙스가 강하다.)

S   V   O
He *takes on* new initiative to promote sustainability. (3)

그는 지속 가능성을 촉진하기 위한 주도권을 쥐고 있다.

S   V   O
The artist *takes on* the task of expressing complex emotions through art. (3)

그 예술가는 예술을 통해 복잡한 감정을 표현하려는 일을 합니다.

S　　　　　V　　　　O
The explorer *takes on* the challenge of discovering new territories. (3)

탐험가는 새로운 지역을 발견하는 도전의 일을 맡고 있다.

　　　S　　　　　V　　　O
The diplomat *takes on* the task of negotiating international agreements. (3)

그 외교관은 국제 조약을 협상하는 일을 맡고 있다.

36) talk on ~에 관한 이야기를 나누다

비교적 길지 않은 이야기, 그러나 수다보다는 긴 이야기는 **talk**를 사용한다. 긴 이야기나 연설의 경우는 **speak**를 사용한다.

say < talk < speak

그러나 말하는 길이를 딱 부러지게 구분하기 어려우므로 영어문장을 볼 때마다 어떤 상황에서 **say, talk, speak**를 구분하여 사용하는 지 눈여겨 보면 대략 구분이 가능해진다.

We need to talk on the phone later.

이 문장에서 '**on**'은 talk와 같이 사용되기 보다는 부사적으로 사용하여 '**phone** 전화기' 위에서(상에서)로 해석하는 것이 좋다.

　V　　O　OC
***Let's* talk** on this matter during the meeting. (5)

이 문제는 회의하는 동안 이야기를 해봅시다.

(*일종의 명령어(간접명령어라 함)이므로 주어 생략되었고 let이 사역동사이므로 to talk에서 'to'가 생략)

　　　　S　V　　　　O
Can I talk on the topic of upcoming events? (3)

다가오는 행사의 주제로 제가 이야기 좀 할 수 있을까요?

S　　V　　　　　O
We should talk on the budget allocation. (3)

우리는 예산 분배에 관해 이야기를 나누어야 합니다.

S　　V　　　O
I wanted to talk on the points raised in the presentation. (3)

나는 발표안에 들어있는 제시된 관점에 관해 이야기하고 싶었다.

37) teach on ~을(에 관해서) 가르치다.

　　teach on은 어느 특정 주제나 과정을 진행 중이라는 의미를 주로 강조하고 'on' 없이 사용하면 일반적인 과목이나 내용을 가르치는 점을 간단히 기술한다.

　　S　　　　　　V　　　　O
The professor teaches on the importance of environment. (3)

그 교수는 환경의 중요성에 대해 가르치고 있습니다.

S V   O   OC
I *teach on* various topics related to literature. (5)

나는 문학에 관련된 다양한 주제를 가르칩니다.

    S   V   O
The workshop *teaches on* effective time management skills. (3)

그 워크숍은 효과적인 시간 관리 기술에 관해서 가르친다.

    S   V   O   S   V
The school *offers* classes that *teach on*
   O
computer programming. (3, 3)

그 학교는 컴퓨터 프로그래밍에 관해서 가르치는 과목의 진행을 제공합니다.

(*관계대명사 that은 classes를 의미하며 관계대명사 문장의 주어이기도 하다. 복수이므로 teach에 's'를 붙이지 아니하였다.)

    S   V   O
The expert *teaches on* the principles of financial planning. (3)

전문가가 재정계획의 원칙을 가르칩니다.

38) think on ~에 관해 생각하다.

　　think는 일반적인 생각을 말하지만 think on ~은 길게 생각하는 즉 오랜 시간 숙고하거나 지속되는 생각을 의미한다.

```
  S V        O
I *think on* the important decision. (3)
```
나는 그 중요한 결정을 심사숙고하고 있어.

```
      S   V        O
Can we *think on* a solution to this problem? (3)
```
우리 그 문제에 대한 해결을 좀 생각해볼 수 있을까요?

```
   S         V            O              OC
My mom *is thinking on* the potential risks involved. (5)
```
엄마는 포함된 잠재적 위험에 대해서 지금 생각하고 있다.

```
 S     V          O              V    C
I *will think on* your suggestion and *get* back to you. (3, 2)
```
내가 너의 제안을 좀 생각해보고 너에게 답할게.

```
 V   O  OC
*Let*'s *think on* ways to improve team collaboration. (5)
```
우리 팀의 화합을 향상하는 방법들에 대해 생각해봅시다.

(*일종의 명령어(간접명령어라 함)이므로 주어 생략되었고 let이 사역동사이므로 to think에서 'to'가 생략)

39) try on ~에 관해 노력하다.

S V O
I *will try on* a new approach to solving this problem. (3)

나는 이 문제 해결을 위해 새로운 접근을 시도할 것이다.

(*try 다음에는 'try to+부정사, try 동명사' 둘 다 올 수 있는데 의미상 약간의 차이가 있다.

'to + 부정사'는 앞으로 행동하려는 노력, 시도를 주로 표현하여 목적이나 의도가 드러나게 됩니다.

'~ing 동명사 혹은 행동을 의미하는 명사'는 특별한 행동이나 활동에 더 의미를 둔다.

I will try to solve the problem.

그 문제를 내가 풀어보려고 노력할 거야.

I will try solving the problem.

나는 그 문제 푸는 걸 시도를 해보려고.

*우리말의 입장에서 비슷해 보일 수 있으므로 영어책을 읽으면서 앞 뒤의 문맥을 살펴보고 어떨 때 사용하는 지 파악하기 바람.)

(*approach의 목적어는 명사가 올 가능성이 매우 높다. 그러므로 어떤 행위에 관해 접근한다면 'to 부정사'가 아닌 동명사가 와야 맞다. 'approach to'는 숙어로 ~를 향해서 접근하다.)

s　　　v　　　　o
Can they try on implementing the suggested changes? (3)

그들이 제시된 변화들을 실행하는 시도를 해볼 수 있을까?

v　o　oc
Let's try on the idea of flexible work hours. (5)

우리 유연한 작업 시간에 관한 아이디어를 짜내 봅시다.

(*일종의 명령어(간접명령어라 함)이므로 주어 생략되었고 let이 사역동사이므로 to try에서 'to'가 생략)

　　　s　　　　　　v　　　　o
The company *is willing* to try on innovative solutions. (3)

회사는 혁신적 해결 방안을 시도할 의지를 갖고 있습니다.

(*be willing to ~할 의지가 있다, ~원하다, 좋아하다.

will이 동사로 사용될 때는 예측하다, 원하다, 좋아하다, 애를 쓰다 등등의 의미가 있다. 그러므로 진행형으로 사용하면 더욱 강력하게 어떤 의지가 있다, ~하려고 하고 있다 등의 의미다.)

s　v　　o
We *have* to try on building stronger relationships with clients. (3)

우리는 의뢰자들과 더 강력한 관계를 만들어가는 노력을 해야 합니다.

40) understand on ~에 관해 이해하다.

　　understand는 그 자체로 목적어가 필요하지만 'on'을 붙이면 강조하는 의미가 강하다.

　S　　V　　　O
We need some time to understand on the complexity of the issue. (3)

우리는 그 쟁점의 복잡성을 이해하는데 약간의 시간이 필요하다.

S V　　　　O
I *am trying* to understand on the reasons behind the decision. (3)

나는 그 결정의 배경에 어떤 이유들이 있는 지 이해하려고 노력하고 있습니다.

　S　　　　　　　　　V　　　　O　　OC
The training session *will help* employees understand on the importance of diversity. (5)

그 훈련 과정은 고용자들이 다양성의 중요성을 이해하는데 도움을 주게 될 것입니다.

(*help 다음에 오는 'to 부정사'는 'to'를 생략해도 됨. 보통 '누군가' 하는 행동을 돕는 것이므로 거의 뒤에 동사가 나오게 되므로 자연스럽게 생략하게 되었을 것으로 추정.)

S　　　　　V　　　　O
The manual *provides* guidelines to understand on the proper use of the equipment. (3)

그 매뉴얼은 장비의 적절한 사용을 이해하는 지침을 제공한다.

S V   O
It *takes* time to understand on the cultural nuances in a team. (3)

한 팀이 문화적 뉘앙스(미묘한 차이)를 이해하는 데는 조금 시간이 걸립니다.

41) use on ~ 상에서 사용하는.

  S V   IO DO
Can you *show* me how to use on this software? (4)

이 소프트웨어를 어떻게 사용하는 지 내게 보여줄 수 있어?

S   V   O
We use on our resources. (3)

우리는 우리의 자원을 계속 사용합니다.

S   V   O
The chef *uses on* different cooking techniques. (3)

요리사가 다른 요리 기술을 사용하고 있습니다.

S   V   O
The workshop *will cover* various strategies to use on time efficiently. (3)

그 워크숍은 효율적 시간 사용의 다양한 전략을 포함할 것이다.

S   V   O   OC
The conference *will feature* experts discussing

innovative ways to use on emerging technologies. (5)

그 컨퍼런스는 전문가들이 통합된 기술을 사용하는 혁신적인 다양한 방법을 토론하는 것을 중점적으로 다룰 것이다.

42) wait on ~을, ~ 상태를 기다리다. ~에서 대기하다.

어떤 의미 있는 시간이나 장소에서 기다리는 것 외에도 어떤 상태로 기다림을 유지하고 있을 때도 많이 사용된다.

S V O
You *have to wait on* the arrival of the shipment. (3)

여러분은 그 운송 도착을 기다리고 있어야 한다.

S V O
I'*ll wait on* the confirmation before making decision. (3)

나는 결정이 나기 전까지 확인을 기다리고 있겠습니다.

S V C
It *is better* to wait on further instructions from him. (2)

그에게서 올 명령들을 기다리고 있는 편이 더 좋겠습니다.

S V O
We *have waited on* the results of the experiment. (3)

우리는 그 실험의 결과를 기다리고 있는 상태입니다.

```
   s        v      o      oc
The teacher asked them to wait on the
instructions. (5)
```

선생님은 그들에게 지시사항을 기다리라고 요구했습니다.

43) want on ~에 관해 상세히, 추가적으로 원하다.

```
s  v         o
I want on more details about the plan. (3)
```

나는 그 계획에 관해 좀 더 상세한 내용을 원한다.

```
 s    v          o
He wants on a clarification regarding the
schedule. (3)
```

그는 그 일정에 관해 명확함을 원합니다.

```
    s   v       o
Do you want on assistance with the task? (3)
```

당신은 그 업무에 관한 지원을 요청하고 있습니까?

```
   s        v          o
The employee wants on more responsibility in the
role. (3)
```

직원은 그 임무에 있어 좀 더 많은 책임을 원합니다.

```
s   v       o
He wants on your participation in the class
discussion. (3)
```

그는 학급 토론에 너의 참가를 원하고 있어.

44) watch on ~을 계속 보다(응시하다), 지켜보다.

see는 짧게, 저절로 보이는 의미가 있고, look은 의도적으로 보는, watch는 그에 비해서 길게 본다는 의미가 강하다

see < look < watch

tv를 볼 때는 시간이 기니까 주로 watch를 사용한다.

영화는 초기 시절 짧은 영화를 보아서 see a movie가 굳었을 것으로 추정된다. watch로 사용해도 된다.

'on'이 있으면 강조 혹은 집중해서 길게 보는 의미다.

s v　　　 o
I *like* to watch on the sunset from time to time. (3)

나는 가끔 석양을 지켜보고 싶어.

v　 o　oc
Let's watch on the latest movie at the cinema. (5)

우리 극장에서 가장 최근(가장 마지막) 영화를 봅시다.

(*일종의 명령어(간접명령어라 함)이므로 주어 생략되었고 let이 사역동사이므로 to watch에서 'to'가 생략)

s　 v　　　o
He *loves* watching on the birds in the garden. (3)

그는 정원에서 새들을 바라보고 있기를 좋아해.

s　　v　　　 o　　　　　 oc
We *can watch on* the fireworks display this weekend. (5)

우리는 이번주말에 불꽃놀이를 볼 수 있어.

(*watch 뒤에 나오는 동사는 'to'를 생략한다. 감각동사인 feel, see도 마찬가지.)

S V   O   S V
She *watched on* the replay of the TV show she missed. (3, 3)

그녀는 놓친 TV쇼 재방송을 보았다.

(*she 앞에 관계대명사 'that'이 생략되었다. 이처럼 관계대명사의 선행사-여기선 TV show-를 설명하는 것이 명백하고 생략해도 의미상 문제가 없으면 생략해도 좋다.)

45) win on ~에서 이기다, 수상하다.

S V
He *worked* hard to win on the championship. (1)

그는 우승하기 위해 열심히 일했다.

S V O
I *hope* to win on the first prize in the competition. (3)

나는 경쟁에서 일등상을 차지하기를 희망합니다.

   S V IO DO
Can I *give* you some tips on how to win on the game? (4)

내가 너에게 게임에서 이기기 위한 팁을 좀 줄까?

```
 S              V
```
The candidate *will campaign* to win on the election. (1)

그 후보자는 선거에서 이기려고 캠페인을 할 것이다.

```
    S           V      O
```
The students *tried* *to win* on the academic scholarship. (3)

그 학생들은 대학 장학금을 타려고 노력을 했다.

46) work on ~에서 일하다, ~ 일을 진행하고 있다.

```
S   V
```
He *works on* a new project. (1)

그는 새로운 프로젝트를 위해 일하고 있어.

```
V    O   OC
```
Let's *work on* improving our teamwork skills. (5)

우리 팀워크 기술을 향상시키는 일을 해봅시다.

(*일종의 명령어(간접명령어라 함)이므로 주어 생략되었고 let이 사역동사이므로 **to work**에서 'to'가 생략)


```
S     V
```
They *are working on* the client's proposal. (1)

그들은 의뢰인이 제안한 일을 하고 있는 중이다.

```
S  V    O
```
I *want* *to work on* my presentation for the meeting. (1)

나는 그 회의에서 할 발표를 위해 일하고 싶다.

S　　　　　**V**
The IT team w*orked* hard *on* upgrading the software. (1)

IT 팀이 소프트웨어 업그레이드를 위해 열심히 일했다.

47) write on ~에 관해 쓰다, 쓰는 중이다.

　　　on은 강조하거나 ~에 관해, 지속해서 쓰는 의미를 만든다.

S V　　　　　　O
I *have written on* the topic for my research paper.

나는 연구 논문을 위한 주제에 관해 써오고 있습니다.

S　V　　　　O
He *is writing on* a new novel.

그는 새로운 소설을 집필 중입니다.

S　　V　　　O
She *wrote on* her experiences during the trip.

그녀는 여행하는 동안 경험한 것들을 썼다.

S　　　　V　　　O
The blogger *writes on* the benefits of a healthy lifestyle.

블로거는 건강한 생활 방식의 이점에 대해 기술하고 있습니다.

2-3 동사 + 전치사 + 목적어 1 + 목적어 2(목적보어)

(*목적어1을 '간접목적어', 목적어2를 '직접목적어' '~에게 ~을' 의미이거나 '목적어', '목적보어' '~가, ~하다' 의미를 갖는다. 목적보어는 앞의 목적어를 설명하는 말로 '동사, 형용사'가 올 수 있다.)

1) call on ~ ~

내용상으로 보아 '~에게(사람) ~하는 것을 요청하다'의 의미로 사용할 가능성이 매우 높다. 이때 목적보어의 자리에는 행동을 요구하므로 'to 원형동사'인 'to 부정사'가 올 가능성도 높다.

```
S      V         O              OC
She called on her friend to help him with the party. (5)
```

그녀는 친구에게 파티 하는 그를 도우라는 요청을 했어.

```
S       V       O           OC
They always call on the expert to provide guidance. (5)
```

그들은 항상 전문가에게 안내를 제공해달라는 요청을 했다.

```
S          V        O         OC
The host called on the panel to answer the question. (5)
```

진행자는 패널들에게 그 질문에 답할 것을 요구했다.

(*토론참가자인 패널이 답하는 것을)

S　　　 V　　　　O　　　　　　OC
　　<u>The CEO *calls on* employees to contribute</u> ideas. (5)

사장은 종업원들이 아이디어를 내는 것을 요청한다.

　　S　　　　　　　　　　　　　　V　　　　O
　　<u>The coach Jurgen Klinsmann *called on* all the</u>
　　　　　　　　　　　　　　　　　　　　　OC
　　<u>players</u> on the national soccer team to give their best performance. (5)

클리스만 감독은 축구대표팀 모든 선수들에게 그들이 최고의 기량을 발휘할 것을 요청했다.

2-4 동사 + 목적어 + 전치사

동사와 전치사 사이에 목적어가 존재하는 경우다.

이 목적어는 동사 때문에 온 것이며 전치사는 매우 부사적으로 보이지만 이 경우도 전체를 하나의 동사의 범위로 보는 것이 활용성도 좋고 기억에도 도움이 된다.

1) ask ~ on; ~에게 상황을 묻다, 요청하다.

S V IO DO
He *asked* me *on* how to solve the problem. (4)

그는 나에게 그 문제를 어떻게 풀지에 관해 물었다.

2) change ~ on; ~을 변화하다, 변경하다, 바꾸다.

S V O
He *changed* his perspective *on* the situation. (3)

그는 상황에 맞게 자신의 전망을 바꾸었다.

V O OC
Let's change our focus *on* the new project. (5)

새로운 프로젝트로 우리의 초점을 바꿉시다.

(*일종의 명령어(간접명령어라 함)이므로 주어 생략되었고 let이 사역동사이므로 to change에서 'to'가 생략)

S V O
She *changed* her strategy *on* this matter. (3)

그녀는 이 건에 대한 전략을 바꾸었습니다.

　　s 　　v 　　　　　o
You *should change* your attitude on this issue. (3)

너는 이 문제에 대해 태도를 바꾸는 게 좋겠어.

(*should는 '해야 하다' 의미보다 권유에 가까워서 명령어처럼 들리지 않으므로 실례가 되지 않는다.

may < would < should < have to < must

의 순으로 점점 강해진다고 볼 수 있다.

엄밀히 말하면 'should'는 'shall'의 과거다. 즉 직역하면 '해야만 할 것이다'의 과거인 '했었어야 했다'의 뜻이다.

You should buy the bag yesterday.

너 어제 그 가방을 사야 했어.

명백하게 과거(과거에서 보는 미래)지만 현재형에서 사용하면 부드러운 권유가 된다. (사는 게 좋겠어)

You should buy the bag today.

오늘 너 그 가방을 사야 해.

직역; 오늘 너 그 가방을 사야 했어.

아직 오늘이 지나지 않았고 현재 상황이라면 마치 과거처럼 말하면서 결국 지금이라도 사라는 의미가 된다.

그러므로 명백한 과거면 후회가 되고 현재나 미래라면 권유가 된다.

will은 ~할 거에요, will의 과거인 would는 ~했을 거에요.

의 뜻이 된다. 마찬가지로 would를 현재형으로 사용하면 보다 더 부드러운 권유나 희망이 된다.

I would buy the bag yesterday.

그 가방을 어제 살 걸 그랬어.

I would buy the bag today.

그 가방을 오늘 사려고 해.

아직 그 가방을 사지 않았다면 부드러운 희망이 된다.

Would you like to have a coffee?

커피 한잔 하고 싶으세요?

직역; 커피 한잔 하면 좋았겠지요?

현재 사용하면 커피를 한잔 마시면 좋았을 텐데 왜 안 마셨냐고 따지는 것이 아니라 마치 과거처럼 물어보면서 부드러운 표현이 되는 것이다. 그래서 예절 있는 표현이 된다.

may, might 할 지도 모르다, 했을 지도 모른다.

can, could 할 수 있다, 할 수 있었다.

will, would 할 것이다, 했을 것이다.

shall, should 해야만 한다, 해야만 했다.

모든 과거는 과거를 위해 표현하지만 명백히 현재 시제에서 사용하면 부드러운 표현이 된다.

다른 예 (가정법 과거완료; 어떤 상태를 가정해서 표현)

I would have been there. 거기에 있을 걸 그랬어.

I would have met him. 그를 만날 걸 그랬어.

I should have been there. 거기에 있어야만 했어.

I should have met him 그를 만났어야만 했어.

My father should have been 100 years old.

우리 아버지가 **100**살이 되셨을 거에요. (살아계셨다면)

과거의 어떤 상태가 지속되고 있음을 가정해본다.

의도적으로 되지 않는 표현은 shall or should를 사용)

```
S   V   C
```
It *is* **time** to change your approach on marketing. (2)

마케팅에 관한 너의 접근 방식을 바꾸어야 할 때야.

```
S   V      C
```
It *is* **important** to change our mindset on challenges. (2)

도전을 위한 우리의 마음가짐을 바꾸는 것이 중요하다.

```
S       V              O
```
She *will change* **her clothes** *on* arrival. (3)

그녀는 도착하면 옷을 갈아입을 거에요.

```
   S             V              O
```
Our team *would change* **our stance** *on* the proposal. (3)

우리 팀은 그 제안에 대한 입장을 바꾸려고 했을 겁니다.

S　　V　　　　　O
CEO *changed* t̲h̲e̲ ̲c̲o̲m̲p̲a̲n̲y̲ ̲p̲o̲l̲i̲c̲y̲ *on* remote work. (3)

사장은 원격 작업에 대한 회사 정책을 바꾸었다.

3) consider ~ on ~에 대해 고려하다, 생각해보다

　S　　V　　　　　　O
He *has considered* m̲y̲ ̲f̲e̲e̲d̲b̲a̲c̲k̲ *on* the plan. (3)

그는 그 계획에 대한 나의 반응을 고려한 상태다.

　S V C
It *is* e̲s̲s̲e̲n̲t̲i̲a̲l̲ to consider the impact on the situation. (2)

그 상황에 대한 영향을 고려해야 하는 것은 필수적이다.

　S　　V　　　　O
He *considered* t̲h̲e̲ ̲l̲o̲n̲g̲-̲t̲e̲r̲m̲ ̲e̲f̲f̲e̲c̲t̲s̲ *on* the business. (3)

그는 사업에 있어 장기적인 영향을 고려했다.

　S　V　 O　 OC
He *asked* us t̲o̲ ̲c̲o̲n̲s̲i̲d̲e̲r̲ the deadline *on* the task. (5)

그는 과제에 최종 마감일을 고려하라고 우리에게 요구했다.

　S　　V　　　　　O
We *should consider* t̲h̲e̲ ̲r̲i̲s̲k̲s̲ *on* entering the market. (3)

우리는 시장 진입의 위험 요인을 고려해야 합니다.

s v   o
I *will consider* your request *on* the schedule. (3)

저는 일정에 당신의 요구사항을 생각하겠습니다.

s   v   o
The board *will consider* his application *on* the position. (3)

이사회는 그 자리에 그의 지원서를 고려해 볼 것이다.

s   v   o
We *should consider* the consequences *on* our decision. (3)

우리는 우리의 결정에 대한 결과를 고려해야 합니다.

s   v   o
He *considered* the budget constraints *on* the project. (3)

그는 그 프로젝트에 대한 예산 제약을 고려했다.

4) continue ~ on ; ~를 계속하다(끊임없이)

s v   o
I *continued* working on my assignment. (3)

나는 숙제하는 일을 계속적으로 했다.

5) create ~ on ; ~에 관한 것을 만들다

s   v   o
We *need to create* a plan *on* how to address the issue. (3)

우리는 그 문제를 어떻게 다룰 지 계획을 짤 필요가 있다.

(*address ; 'to 부정사'이므로 동사로 사용되었다.

동사 - 준비하다, 연설하다, 부르다)

   s   v   o
The team *has created* a project *on* a renewable energy source. (3)

팀이 재생 가능한 관한 에너지원에 대한 프로젝트를 만들어 놓았다(만든 상태다).

   s   v   o
The musician *created* a melody *on* the piano. (3)

음악가가 피아노로 멜로디를 만들었다.

6) bring ~ on ; 무엇을 가져오다

      s   v   o
Would you bring the food *on*? (3)

음식을 가져오시겠어요?

(*bring on the food는 적절치 못한 표현이다.

아마도 직역하면 뭔가의 위에 놓고 가져오라는 의미가 강하기 때문인 것으로 보인다. 명사의 앞에 **on**이 위치한 경우가 'bring on 추상명사'가 주로 대부분이다.)

7) run ~ on ; ~에 대한 것을 가동하다, 이행하다.

S V O
I *need* to run tests on the new software. (3)

나는 새로운 소프트웨어에서 테스트들을 하기 원한다.

2-5 동사 + 목적어 1(A) + 전치사 + 목적어 2(B)

목적어 1이 문맥상 더 중요하다. 영어는 기본적으로 중요한 순으로 나열한다.

1) add A on B; B에 A를 추가하다.

  s v   o
He *added* more pepper *on* the noodles. (3)

그는 국수에 후추를 추가했습니다.

s v   o
I *added* sugar *on* the milk for sweetness. (3)

나는 단맛을 내려고 우유에 설탕을 추가했습니다.

s v   o
I *should add* the new staff on the list. (3)

나는 목록에 새로운 스태프를 추가해야 합니다.

 s   v   o
We *should add* various examples on the ppt. (3)

우리는 ppt에 다양한 예제를 추가해야 합니다.

     s v o
Can you *add* a comment on the post?

너 그 글에 댓글을 달아줄 수 있겠니? (3)

v o
Add your hotel information on the form. (3)

양식에 호텔 정보를 추가해주세요.

2) ask A on B; B에 관해 A를 요청하다.

S V IO DO
CEO *asks* the applicant *on* his qualification. (4)

CEO가 지원자에게 그의 자격에 대해 묻습니다.

S V IO DO
The doctor *asks* the patient *on* his symptoms. (4)

의사는 환자에게 그의 증상에 대해 묻습니다.

S V IO DO
The boss *asked* the employee *on* his performance. (4)

사장은 직원에게 그의 성과에 대해 물었습니다.

S V IO DO
The customer always *asks* the salesperson *on* the price of the product. (4)

고객은 항상 판매원에게 상품 가격에 대해 묻습니다.

S V IO DO
He *asked* me *on* how to solve the problem. (4)

그는 나에게 그 문제를 어떻게 풀지에 관해 물었다.

(*여기서 'on' 다음에 절이 아닌 구가 온 경우로 '주어+동사'가 없으므로 문장이라 하지 않는다.)

3) cut A on B; A를 B 방향, 각도 등으로 자르다.

S V O
She *cut* the cloth *on* the bias.

그녀는 옷을 비스듬히 잘랐다.

S   V   O
The tailor *cut* **the fabric** on the pattern. (3)

재단사는 패턴대로 천을 잘랐다.

S V   O
He *cut* **the bread** *on* the cutting board. (3)

그는 도마 위에 있는 빵을 잘랐다.

4) expect A on B; B에 대하여 A를 기대하다

S V   O
I *expect* **an update** *on* the project by tomorrow. (3)

나는 내일까지 그 프로젝트에 갱신을 기대한다.

S V   O
He *expected* **feedback** *on* his performance. (3)

그는 그의 성과에 대한 피드백을 기대했다.

S   V   O
CEO *expects* **a report** *on* the financial status. (3)

사장은 재정 상태에 관한 보고서를 기대합니다.

S   V   O
She *is expecting* **a call back** *on* the job interview. (3)

그녀는 사원면접에 대한 회신 전화를 아주 기대하고 있다.

(*기대, 희망 등의 진행형은 강조하는 의미가 된다.)

provide A on B; B에 관하여 A를 제공해주세요.

provide 동사 성격 상 provide의 목적어가 오고 뒤에 목적어에 관련된 것일 가능성이 매우 높다.

s　　　　　　　　o
The company *provides* information *on* the new plan. (3)

그 회사가 새로운 계획에 대한 정보를 제공합니다.

s　　　　v　　　　o
The website *provided* updates *on* the latest version. (3)

웹사이트가 최근 버전으로 업데이트를 제공했다.

s　　　　v　　　　o
The doctor *will provide* guidance *on* managing the condition. (3)

그 의사가 상태를 관리하기 위한 지침을 제공할 것이다.

　　　s　　v　　　o
Can you *provide* input *on* the budget for the event? (3)

그 행사를 위한 예산에 입력 사항을 제공할 수 있습니까?

　s　　　　　　v　　　　o
The training *provides* guidance *on* career development. (3)

그 훈련은 경력 개발을 위한 지침을 제공합니다.

5) read A on B ; B에 관한 A를 읽다

보통 A를 읽는다면 B에 관한 내용이 언급될 가능성이 크다.

　　S　　V　　O
We *read* *a passage* *on* the importance of teamwork. (3)

우리는 팀워크의 중요성에 관한 구절을 읽었다.

S　V　　　O
He *enjoys* *reading* articles *on* various topics. (3)

그는 다양한 주제의 기사 읽기를 즐긴다.

S V　O
I *read* *a book* *on* the history of London. (3)

나는 런던의 역사에 관한 책을 읽었다.

　S　　V　　O
He *read* *a blog post* *on* effective time management. (3)

그는 효과적 시간관리에 대한 한 블로그 게시물을 읽었다.

(*reads가 아니므로 과거이다. read의 과거형도 read)

　S　V　O
She read *a magazine* *on* the latest fashion trends. (3)

그녀는 가장 최근 패션 경향에 관한 잡지를 읽었다.

6) require A on B ; B에 관한 A를 요구하다.

require 동사는 목적어가 있으면서 대개 'B에 관하여 A를 요구하다'의 의미로 많이 사용된다. '전치사 on' 이하의 단어(혹은 구)를 별도로 생각하기보다 require 동사와 더불어 익히는 것이 이해가 좋고 영작에도 유용하다.

　s　　　v　　　o
The job *requires* expertise *on* the latest software. (3)

그 일은 최근 소프트웨어에 관한 전문 지식을 요구한다.

　s　　　v　　　o
This task *requires* a strong focus *on* attention to detail. (3)

이 과제(과업)는 세밀함에 주의를 기울여 강한 집중을 요구한다.

　s　　　v　　　o
The recipe requires a dash of salt *on* the vegetables. (3)

그 요리법은 채소에 약간의 소금을 필요로 합니다.

　s　　　v　　　o
The contract *requires* a signature *on* the specified date. (3)

그 계약은 기술된 날짜 위에 사인을 요구합니다.

　s　　　　　　v　　　o
The scholarship application *requires* an essay *on*

personal achievements. (3)

장학금 신청은 개인적 성취에 관한 에세이를 요구합니다.

7) run A on B

　　B 상태(환경, 조건)에서 A가 가동되다, 운영되다.

　　　s　　　　　　v　　　o
　　The company *plans* **to run** an advertising campaign on social media. (3)

　　회사는 소셜미디어에서 캠페인 광고를 가동할 계획을 한다.

　　v　　o　　oc
　　Let*'s *run a background check on the job applicants. (5)

　　직업 응시자들에 관해 그 배경 체크를 가동합시다.

　　(*일종의 명령어(간접명령어라 함)이므로 주어 생략되었고 let이 사역동사이므로 to run에서 'to'가 생략)

　　s　　v　　　o
　　They *decided* **to run** a sale on selected items. (3)

　　그들은 선정한 아이템에 대해 세일을 시행하기로 결정했다.

　　s　　v　　　o
　　We *will run* **a simulation** *on* the proposed changes. (3)

　　우리는 제안된 변화에 관한 시뮬레이션을 가동할 것입니다.

```
   S     V      O
The store runs a discount on all items for the
weekend. (3)
```

그 상점은 주말동안 모든 아이템에 대한 할인을 시행한다.

8) say A on B ; B에 관련된 A를 말하다

```
   S         V    O
A gagman said a joke on the matter. (3)
```

한 개그맨이 그 문제에 관한 농담을 했습니다.

```
     S         V      O
Can you please say your opinion on the event? (3)
```

당신은 그 행사에 대한 의견을 말해줄 수 있습니까?

```
 S   V      O
He said a comment on my essay. (3)
```

그가 나의 에세이에 관해 코멘트를 했다.

```
    S        V       O
The teacher said a few words on my performance.
(3)
```

선생님이 나의 성과에 대해 몇 마디 말씀해주셨다.

```
 S   V       O
He said some interesting facts on the history of
Seoul. (3)
```

그는 서울의 역사에 관한 흥미로운 사실 몇 가지를 말했다.

```
 S   V     O
He said instructions on how to complete the task.
```

(3)

그는 어떻게 그 일을 완성하는 지 지시사항을 말해주었다.

9) spend A on B; B에 관해 A를 보내다, 소비하다.

spend 동사의 성격상 시간적 의미의 '보내다'로 많이 사용된다. 주로 '~을 하면서, ~으로 보내다' 의미

'소비하다'는 주로 ~에 관한 것으로 소비

s v o
I *have* to spend some time on the project this afternoon. (3)

나는 오늘 오후 프로젝트로 시간을 좀 보내야 합니다.

s v o
CEO *wants* to spend the budget on marketing. (3)

사장님은 마케팅에 예산을 사용할 것을 원합니다.

s v o
She *likes* to spend this evening on watching a movie. (3)

그녀는 영화 한 편을 보면서 오늘 저녁을 보내고 싶다.

s v o
I *plan* to spend my bonus on a vacation. (3)

나는 휴가에 나의 보너스를 쓰기로 계획해.

s v o
Can *you* spend a moment on chatting on Kakao

talk? (3)

너 카톡으로 잠깐 얘기 좀 할 수 있겠니?

S V   O
He *spent* his money *on* a charitable donation. (3)

그는 자선 기부에 자기 돈을 썼습니다.

V O OC
Let's spend a little more attention on the details. (5)

우리 세밀한 것에 약간만 더 주의를 기울입시다.

(*일종의 명령어(간접명령어라 함)이므로 주어 생략되었고 let이 사역동사이므로 to spend에서 'to'가 생략)

10) tell A on B: A에게 B에 관해 말하다.

> tell은 보통 대화 의미인 say보다 길게 이야기를 할 때 사용한다. 주로 story, truth 등은 주로 tell을 사용한다.

> 'tell'의 성격상 대부분 `~에게 ~을 말하다'의 내용이 수반된다고 볼 수 있다.

> 'on'을 사용하면 일반적이지 않은 특정한 주제나 혹은 이야기 내용을 강조하려고 사용하며 이야기가 길게 이어지고 진행 중이라는 의미가 있다.

S V   IO   DO
He *told* me *on* the progress of the project. (4)

그는 그 프로젝트의 진행과정에 대해 말했다.

S　　V　IO　　DO
Can *you* *tell* us *on* the details of the upcoming event? (4)

이번 행사의 상세 사항에 대해 우리에게 이야기해줄 수 있습니까?

S　　　　　　V　　IO　　　　DO
The manager *told* the team *on* the changes to the schedule. (4)

관리자가 일정 변경에 대해 팀에 이야기를 해주었다.

S　V　　O　　　　　　　　S　　V
He *needs* to tell me on the news that just *came in*. (3, 1)

그는 금방 들어온 뉴스에 관해서 나에게 말하기를 원했다.

(*'that' 이하는 관계대명사 'that'이 주어인 문장(절)이다. 관계대명상의 의미상 실질적 주어는 'the news'며 동사는 'came in'이다.)

　　　　V　IO　　DO
Please *tell* me *on* the reasons for the delay. (4)

연기된 이유에 대해 저에게 말해주세요.

2-6 be동사 + 과거분사 + 전치사

전체를 하나의 동사로 인식하는 것이 편하다.

여기서 'be동사 + 과거분사'는 수동태가 아니다. 어떤 상태가 지속되고 있는 상황이다. 이 상태가 길어지면 be동사 대신 'have(has)'를 사용하여 확실하게 오래 상태가 지속되고 있음을 표현한다. 수동태가 되려면 가해자가 있어야 하는데 만일 'by'를 사용한다면 수동태라고 볼 수 있다.

1) be based on ~에 기초하여, 근거하여, 기반을 두어

S　　　　　V　　　　　O
The cake *is based on* a traditional recipe. (3)

케이크는 전통적 요리법을 근거로 만들었다.

S　　　　　V　　　　　O
The decision *was based on* careful analysis. (3)

결정은 조심스런 분석에 기초를 두고 있었다. (과거)

S　　　　　V　　　　　O
The strategy *is based on* market research findings. (3)

그 전략은 시장 연구 결과에 기반을 두고 있다.

S　　　　　V　　　　　O
The design *is based on* user feedback. (3)

그 설계는 사용자의 피드백에 기초한 것이다.

2) be built on - 위에 지어지다. 만들어지다, 세워지다.

S   V   O
The conclusion *is built on* thorough research. (3)

결론은 연구를 통해서 얻어진 것이다.

S   V   O
His confidence *is built on* years of experience. (3)

그의 자신감은 수년 동안의 경험에서 비롯된 것이다.

S   V   O
Our plan *is built on* solid foundations. (3)

우리의 계획은 탄탄한 기초를 두고 건설되었다.

3) be focused on ~에 대해 집중한 상태에 있다

S   V   O
She *is focused on* completing the project. (3)

그녀는 그 프로젝트를 완성하기 위해 집중하고 있다.

4) be recognized on ~에 의해 인정받다, 인식되다.

S   V   O
The achievement *was recognized on* a national level. (3)

그 업적은 하나의 국가적 수준으로 인정받았다.

PART II

전치사 'in'

Part II

전치사 in에 대하여

'in'은 전치사와 더불어 부사로도 사용된다.

우리말에 전치사가 없기 때문에 그냥 부사로 인식하여도 무방하다. 부사로 사용되는 경우는 대개 시간이나 장소를 의미하는 단어에서 부사적 의미를 갖는다. 장소가 아닌 보통명사나 추상명사 앞에서 사용되기도 한다.

또한 부사가 아닌 용도로 동사의 뒤에 위치하여 동사의 의미를 확장하는 데 사용되기도 한다. 이럴 때는 전치사가 독자적으로 어떤 의미를 갖고 있기보다 '동사 + 전치사 = 동사'로 인식하는 것이 좋다. 전치사를 이용하여 동사는 원래 갖고 있는 의미를 다양하게 확장하는데 사용된다.

Chapter 1. 부사적 전치사 in

'in'의 품사는 전치사도 되고 부사도 된다. 영어 단어는 하나의 품사로만 사용되는 것이 아니다. 그 위치에 따라 동사도 되고 명사, 형용사, 부사도 될 수 있다. 그러므로 위치에 따라 품사도 변하고 당연히 의미도 다르게 사용된다.

전치사 'in'은 명사나 형용사로 사용되진 않지만 부사로 사용될 때 비교적 의미 파악이 쉽다. 단어의 성격 상 부사로 사용될 때는 '~의 안'에 있다고 표현된다.

시간이나 장소의 안에 있을 때 사용되는데 특정 지점을 정확하게 지적하지 않는다. 좀 더 포괄적 의미를 갖는다. 혹은 그 안에 거의 들어차 있는 상황을 표현하기도 한다. 보통명사나 추상명사 앞에 위치할 때는 의미 역시 좀 더 포괄적이다. 어느 특정 지점을 표현할 때는 'at'을 사용한다.

(*위치에 따라 품사가 바뀌는 설명 Part I 페이지 참조.)

1-1 in + 명사로 사용된 경우

명사가 보통 명사인 경우는 대개 장소의 의미를 갖는다. 그 장소 안을 의미하는데 보편적으로 그 장소 전체에 꽉 차 있거나 어느 특정 장소에 머물지 않고 특정 지을 수 없다.

I live in Seoul. 나는 서울에 살아.

The dog was hiding in the box then.

그때 그 개는 상자 안에서 숨고 있었어.

My wife found my key in the drawer.

아내가 서랍 속에 있는 내 열쇠를 찾았어.

The flowers are blooming in the garden.

꽃들이 정원에 피어 있습니다.

The kids are playing in the park.

아이들이 공원에서 놀고 있습니다.

The store is in the shopping mall.

그 상점은 쇼핑몰 안에 있다.

The Korean restaurant is located in the city center.

그 한국 식당은 도시 한가운데 위치하고 있습니다.

Your car is parked in the garage.

당신의 차는 주차장에 있습니다.

1-2 in 단독으로 사용된 경우

전치사는 보통 목적어를 갖는다. 그래서 그 단어를 '전치사의 목적어'라고 한다. 하지만 전치사 뒤에 단어가 오지 않는 경우 'in' 다음에 오는 단어의 의미를 문맥상 파악할 수 있기 때문에 생략한 것으로 보는 게 타당하다. 아니면 '동사 + in'이 하나의 동사(숙어)처럼 사용되기도 한다.

They live in. 그들이 그 안에서 살고 있습니다.

The man jumped in. 그 남자가 안으로 점프했다.

The train arrived in. 기차가 도착했다(안으로 들어왔다).

I believe in. 나는 믿는다. (내용상 무엇을 믿는지 짐작이 된다. 'believe in'은 숙어로 원래는 뒤에 목적어가 온다.)

The answer is in 답이 그 안에 있다.

Darkness fell in the forest, making it difficult to navigate without a flashlight.

손전등 없이는 나아가는 게 어렵게 만드는 어둠이 숲 속에 떨어졌다.

직역; 어둠이 숲 안으로 떨어졌다, 만들면서 그것(어둠)이 어렵도록 나아가기 위해서, 손전등 없이.

1-3 in 시간의 의미로 사용된 경우

She was born in Feb.
그녀는 2월생이다.
I was born in year 1995.
나는 1995년생이다.
He plans to visit in the summer.
그는 여름에 방문할 계획이야.
The report is due in two days.
그 보고서는 이틀이 기한이야.
I'll see him in a moment.
난 그를 잠깐만 볼 거야.
I will arrive in the morning.
나 아침에 도착할 거야.
The flight is scheduled to depart in the morning.
그 비행기는 아침에 출발하기로 예정되어 있습니다.
He called me in the middle of the night.
그가 한 밤중에 나에게 전화했어.
I'll be back in an hour.
난 한 시간 만에 돌아올 거야. (한 시간 후에)

The movie is on in ten minutes.

그 영화는 10분 뒤에 시작합니다.

(*in + 시간은 '~ 이후'로 해석하기도 하고 '~ 안에, ~ 만에, ~ 뒤에'로도 해석한다. 문장의 문맥에 따라 두 가지 의미가 다 사용될 수 있다. 아마도 시간 안에는 계속 그 상태가 유지된다는 의미이기 때문이므로 결국 '~ 후'로 볼 수도 있다. 우리말의 입장에서 헷갈리는 부분이다. 미세한 차이지만 각각 다른 의미로 사용된다고 볼 수 있다. 보통은 긴 시간상 의미에는 '~ 안에'로 사용되고 짧은 시간에는 '~ 후에'로 사용되는 경우로 보인다.)

1-4 in + 동명사로 사용된 경우

동명사는 동사 어미에 '~ing'를 붙여서 만든다. 현재분사와 형태가 같다. 형태가 동일한 것은 사실상 같은 의미이기 때문이다. 사용하는 목적에 따라 명사로 볼 수도 있고 현재분사인 '~하는 중이다'로 볼 수 있다. 문맥으로 충분히 그 내용을 짐작할 수 있다. 섬세하게 그 의미를 따져보고 의미를 해석해 보면 결국 동명사와 현재분사는 같은 의미라는 것을 알 수 있다. 즉 둘 중 어느 것으로 번역을 해도 본질적 의미는 같다.

The key lies in adapting to change.

열쇠(핵심)는 변화에 적응하는 것에 있다.

직역; 열쇠는 변화를 하려고 적응하는 중 안에 놓여있다.

The joy is in helping others.

기쁨은 다른 사람을 돕는 데 있다.

직역; 기쁨은 다른 사람을 돕는 중인 상태에서 존재한다.

The fun is in exploring new places.

재미는 새로운 곳을 탐험하는데 있다.

The pleasure is in working with a talented team.

기쁨은 재능 있는 팀과 함께 작업하는 가운데 있다.

The success is in consistently delivering quality work.

성공은 질 높은 작업을 지속적으로 제공하는데 있다.

Honesty is important in building trust.

정직함은 신뢰를 구축하는데 있어 중요하다.

Trust is vital in maintaining relationships.

신뢰는 관계를 유지하는 데 있어서 생명력이다.

The secret to success is in continuous learning.

성공의 비밀은 끊임없는 학습에 있다.

(*continue(동사), continuous(부사)는 끊임없이 계속되는 동작이나 현재 지속되고 있는 것을 강조 혹은 이 상황에 초점을 맞추어 표현한다. 그러므로 대개의 경우 **continuous** 부사 뒤에는 대개 현재분사인 '~ing'가 온다. 'keep ~ing'는 엄밀히 말하면 끊기지 않고 계속되는 상황은 아니다. 지속적으로 하지만 중간에 완전히 다른 일을 전혀 하지 않는 것은 아니다. 관습적이나 어떤 루틴이나 패턴을 반복하는 지속적 행동이다.

1-5 in + 목적격 인칭대명사

전치사 in 다음에 목적격 인칭대명사는 me, her, him, them, us 등이 오는 경우는 그 사람 안에서 무엇인가가 존재한다, 들어있다는 의미가 강하다.

They have faith in us to complete the project.

그들은 우리가 그 프로젝트를 완성한다는 믿음을 갖고 있다.

We have invested time in you.

우리는 당신에게 시간을 투자하고 있습니다.

She is interested in him.

그녀는 그에게 관심이 있어요.

Have confidence in us to deliver the presentation.

우리가 그 발표를 전달하는데 믿음(잘한다고)을 가져.

(*일종의 명령어이므로 주어 'you-너 혹은 너희들, 당신들, 여러분'이 생략되었다.

보통 'be + proud'는 'of'와 같이 사용되고 'be + confident', 'be + interested(과거분사)'는 'in'과 같이 사용된다. 앞에 명사 'confidence' 뒤에 목적격 인칭대명사가 올 때도 'in you'처럼 'in'이 사용된다.)

1-6 in + 추상명사

'in' 다음에 오는 추상명사는 어떤 분야나 부문을 의미한다.

The student is an expert in mathematics.

그 학생은 수학에 있어 전문가다.

(*~ on 과는 약간의 차이가 있다. ~ in 은 그 범위의 폭이 넓어 광범위하고, 다양한 느낌을 준다. ~ on 은 그 범위의 폭을 비교적 좁혀 특정 주제나 분야에 전문성을 표현한다.)

He takes pride in his achievements.

그는 그의 성취에 자신감이 있다.

The restaurant specializes in French cuisine.

그 식당은 프랑스 요리에 특화되어 있지.

(*specialize in ~ '동사+전치사' 숙어로 볼 수 있다.)

The key to happiness is in gratitude.

행복의 핵심(행복에 대한 열쇠)은 감사함 안에 있다.

Confidence is essential in public speaking.

대중 연설에 있어 자신감은 필수적이다.

The beauty of arts is in its diversity.

예술의 아름다움은 그 자체의 다양성에 있다.

Leadership involves skill in decision-making.

지도력(리더쉽)은 의사 결정에 있어서의 기술을 포함한다.

Can you explain in detail how the new system works?

당신은 그 새로운 시스템이 어떻게 작동하는 지 상세하게 설명할 수 있지요?

I need you to explain in simple terms the concept behind this theory.

나는 당신이 그 이론 배경에 있는 개념을 간단히 설명하기를 원합니다.

(*'want'를 사용하면 간절한 느낌이다. 보통은 무엇을 간단히, 가볍게 원할 때는 'need'를 주로 사용한다.)

Please explain in writing the steps to follow for the experiment.

실험을 위한 다음 단계를 서면으로 설명해주세요.

I watched the snowflakes fall in silence.

나는 조용하게(침묵 속에서) 떨어지는 눈송이를 보았다.

(*동사가 watch 처럼 지각동사일 때 다음 목적보어의 위치에 오는 동사는 'to fall'에서 'to'를 생략한다.)

I felt a raindrop fall in my hand, signaling the beginning of the storm.

폭풍의 신호를 알리는 빗방울 하나가 내 손에 떨어지는 걸 느꼈다.

(*위의 동사와 마찬가지로 지각동사 feel 때문에 'fall 에서 'to'가 생략되었다.)

Chapter 2. 동사를 돕는 전치사 in

Chapter 2. 동사를 돕는 전치사 in

(*예제 단어 위 작은 's'는 주어 subject, 'v'는 동사 verb, 'o'는 목적어 object, 'IO'는 간접목적어 indirect object, 'DO'는 직접목적어 direct object, 'OC'는 목적보어 object complement 를 의미.

예제 괄호에 들어있는 숫자는 1~5 형식 중 하나를 의미)

영어에서 동사의 의미만으로 표현하기에 부족한 부분을 채우기 위해 전치사를 활용한다. 즉 동사의 의미를 확장하는데 전치사를 뒤에 붙여 다양한 표현을 한다. 보통 우리는 이러한 '동사 + 전치사'의 활용을 숙어라고 부르며 공부했다.

숙어는 간단하게 표현하면 우리말 입장에서 보면 그 자체가 하나의 동사라고 보는 것이 타당하다.

'동사 + 전치사 = 동사'

이렇게 공부하는 것이 번역(독해)을 할 때 이해하기 수월하고 영작을 할 때 활용성도 좋다. 이렇게 동사가 전치사를 활용하는 방법은 아래의 다섯 종류가 있다.

(*이하 설명은 Part I 의 Chapter 2 에도 기술되어 있다.)

1) 동사 + 전치사

   온전히 하나의 동사 역할을 하고 있다고 보면 된다.

2) 동사 + 전치사 + 목적어(전치사의 목적어)

전치사 뒤에 전치사가 수반하는 명사가 뒤따른다.

위에서 명사는 명사, 동명사, 문장(목적절)을 의미한다.

3) 동사 + 전치사 + 목적어 1(A) + 목적어 2(B)

4) 동사 + 목적어 + 전치사

동사와 전치사 사이에 목적어가 존재하는 경우로 이 때 전치사는 마치 형용사나 부사와 같은 역할로 보인다.

5) 동사 + 목적어 1(A) + 전치사 + 목적어 2(B)

이 경우 'A'가 'B'에게 혹은 'B'가 'A'에게 어떤 작용을 한다. 우리가 약간 헷갈리는 경우인데 영어는 그 속성이 중요한 순서이므로 중요한 것을 'A'라고 보면 된다.

6) be동사 + 동사의 과거분사 + 전치사 + 전치사의 목적어

우리는 보통 이런 경우를 '수동태'라고 부르는 경향이 있는데 그렇지 않다. 그냥 하나의 동사라고 보면 된다. '과거분사'를 수동태로 보는 것은 아주 잘못된 개념이다. 심지어는 'be동사+과거분사'도 수동태는 아니다.

간혹 과거분사를 형용사로 정의하기도 하는데 엄밀하게 보면 동사의 한 형태이고 형용사적 용법으로 사용할 뿐 그 자체를 형용사로 보면 안된다. 엄연히 동사다.

She is gone. 'gone'은 과거분사이지 형용사가 아니다.

'그녀는 가버렸다(사라졌다).'

'가버렸다'를 형용사로 볼 수는 없다.

현재 '가버린 상태'를 의미하며 아직 덜 확실하다. 확실하게 돌아오지 않고 가버린 상태이며 시간이 흘렀다면 (흘렀다고 확신한다면)

She has gone. 현재완료로 표현한다.

'그녀는 떠나버렸다' – 거의 돌아오지 않는 것이다.

과거의 어떤 상태를 표현하기 위한 동사의 한 종류다. 역시 한국어에 없는 동사의 종류이기 때문에 많이 혼동하고 있다.

과거분사는 현재분사(~ing)와 대비되는 개념으로 현재분사가 작동 중인 상태를 표현하는 것이라면 과거분사는 현재분사 즉 작동 중 상태가 오래 지속되고 있음을 의미한다.

현재분사나 과거분사의 실질적인 시제는 바로 앞에 있는 'be동사', 'have(has)' or had가 시제를 결정한다.

have(has) + 과거분사 = 현재완료

had + 과거분사 = 과거완료

현재완료는 지금까지 지속되고 있는 상태를 의미하고 과거완료는 한동안 지속된 상태였으나 종료된 상태를 표현한다. 지금은 지속되고 있지 않거나 모른다.

He has loved her.

그는 현재 그녀를 사랑하는 상태다(사랑하고 있다).

He had loved her.

그는 한동안(한때) 그녀를 사랑하고 있는 상태였다.

(사랑하고 있었다) - 지금은 아니다.

*과거분사가 절대 수동태가 아님을 알 수 있다.

'be동사 + 과거분사'는 지속상태가 현재완료나 과거완료보다 짧고 일시적일 때 주로 사용한다. 이때 역시 실질적 시제는 'be동사'가 결정한다.

am, are, is + 과거분사 = 현재의 상태

was, were + 과거분사 = 과거의 상태

will(shall) be + 과거분사 = 미래의 상태

will(shall) have + 과거분사 = 미래완료 상태

would(should) have + 과거분사 = 가정법미래완료

위에서 보는 바와 같이 be동사의 시제가 문장의 실질적 시제를 결정하고 있다.

I am tired. 나는 지금 피곤한 상태야

I have been tired. 나는 지금 계속 피곤한 상태로 있어.

'am + tired'에서 'am'을 현재완료로 만들었다.

'have been' = have(has) + p.p인 been이 왔다.

('I have tired'라고 하면 전혀 다른 뜻이 된다. tired가 타동사의 과거분사로 사용되어 '누군가를 괴롭히다'의 의미가 된다. 목적어가 있어야 한다.

He has tired me these days. 그가 요즘 나를 괴롭혀.

*우리말의 입장에서 보면 tired 과거분사가 '피곤하다'의 뜻으로 보여 형용사로 보이지만 영어 본래의 의미는 괴롭히고 있는 상태를 의미한다.

(동사의 종류 - 현재, 과거, 현재분사, 과거분사가 있다.

동사의 원형은 be동사만 존재하며 다른 동사들은 원형과 현재형이 동일하다.)

*참고로 미래완료와 가정법 미래완료의 추가 설명

- 미래 완료

I will have stayed in New York.

나는 뉴욕에 3년 동안 머무르게(머무르는 상태가) 될 거야.

- 가정법 과거완료(과거의 어떤 상태를 가정하는 시제다.)

If you had invited me to the party, I would have loved to join you.

네가 나를 파티에 초대했다면 나는 기꺼이 너와 합류했을 텐데.

- 가정법 과거완료 (been을 포함한)

I would have been happier if I had pursued in my passion for music.

내가 음악에 대해 나의 열정을 추구했다면 더 행복한 상태가 되었을 거에요.

(*완료형은 상태로 직역을 하면 의미가 더 확실하다.)

My mother should have been 100 years old.

우리 엄마가 100살이 되셨을 거에요.

(살아계신다면, 혹은 지금 생사를 모른다면.

의지가 아닌 불가항력, 자연상태의 미래는 주로 shall 사용이 형식적 표현. 보다 강조하고 확실한 뉘앙스.

will을 사용하면 단순하게 사실만을 표현하거나 예측하므로 shall 사용과 다른 뉘앙스. 특히 사물을 의인화해서 사용할 때는 will을 많이 사용함.)

2-1 동사 + in

온전히 하나의 동사 역할을 하고 있다고 보면 된다.

1) come in (안으로) 들어오다.

　　　　　ｖ　　　　　ｖ　　ｏ
Please *come in* and *enjoy* the party. (1, 3)

이리 들어와서, 파티를 즐기세요.

ｓ　　　　　ｖ
The guests *come in* through the main entrance.

손님들은 중앙 출입구를 통해서 들어옵니다.

ｖ　ｏ　ｏｃ　　　　　ｓ　　ｖ　　ｃ
Let's *come in* before we get wet. (5, 2)

우리 젖기 전에 안으로 들어갑시다.

(*일종의 명령어(간접명령어라 함)이므로 주어 생략되었고 let이 사역동사이므로 to come에서 'to'가 생략)

　　　　　　　ｓ　　ｖ　　　　　　　ｖ
As soon as *you* *come in*, please *sign* the attendance sheet. (1, 1)

들어오시면서 참석자 명부에 사인을 해주세요.

(*뒤 문장에서 the attendance sheet는 동사 'sign'의 목적어가 아니다. 그러므로 1 형식이 맞다. 원래는 전치사 'on'이 'the attendance sheet' 앞에 있어야 하지만 영어에서 너무나 명확한 경우 종종 전치사를 생략한다. 이러한 문장의 통용은 용인되는 것이다. 아마도 너무

확실하다고 여길 때 간결함과 속도를 줄이려는 경향 때문이 아닌가 여겨진다.)

      s   v   s   v
When *the bell rings*, students *should come in* from the playground. (1, 1)

종이 울리면 학생들은 운동장에서 안으로 들어와야 합니다.

s   v
The train *will come in* on platform 2 in a few minutes. (1)

기차가 몇 분 후에 플랫폼 2번으로 들어옵니다.

v
Come in with your ideas during the brainstorming session. (1)

브레인스토밍 회의 동안에는 당신의 아이디어를 갖고 입장하세요.

s   v
The dog *comes in* from the garden when called. (1, 1)

그 개는 불렀을 때 정원에서 안으로 들어옵니다.

(*원래 제대로 된 문장은 .. when he is called 가 맞지만 문장의 주어와 동일하므로 생략되었다. 하지만 when he calls 는 '그'가 다른 누군가를 부르거나 소리치므로 의미상으로 맞지 않는다. 누군가에 의해 불려졌으므로(수동) when he is called 로 봐야 한다. 더구나 앞의 시제는 현재인데 when 문장 called 가 과거라면 일치하지 않는 시제이므로 맞지 않는다.)

s　　　　　　　　　v　　　　　o　　　　oc
The announcement *instructed* passengers to come in through Gate A. (5)

안내방송이 승객들에게 Gate A 를 통해서 들어오라고 안내했다.

2) drive in ; 운전하다, 차를 몰다.

　　기본적으로 drive 와 거의 비슷한 의미. drive 는 운전하는 행위만을 의미하지만 'drive in ~'은 안으로 운전해서 들어가는 의미가 있다. 그러므로 뒤에 어떤 장소나 특정한 건물 등의 단어가 나온다.

s　　v
You *should drive in* the right lane on the highway. (1)

고속도로에서는 오른쪽 차선 안에서 운전해야 한다.

　s　　　　　v
The bus *drives in* for a brief stop at the station. (1)

그 버스는 정거장에서 잠깐 정거를 위해 운전해서 안으로 들어간다.

　　v　　　　　v
The team *will drive in* for the away game this week. (1)

이번 주 그 팀은 원정게임을 위해 운전해서 갈 것이다.

　s　　　　v
The taxi *will drive in* to pick you up shortly. (1)

택시가 너를 태우로 곧 갈 거야.

(*보통 '나를 태우러 와줘' 할 때 pick up(픽업)이라고 표현하지만 틀린 말이며 영어로는 반드시 pick me up 이라고 해야 한다. 목적격 대명사는 pick 과 up 사이에 위치해야 한다. 즉 pick 동사의 목적어가 확실하다는 의미. 만일 목적격 혹은 대명사가 아닌 명사가 온다면 둘 다 맞다. 즉 'Pick up me'에서 'me'는 up 의 목적격으로 올 수가 없다. 목적격은 반드시 동사 뒤에 와야 한다. 그러므로 'Pick me up'이 맞다. 그러나 아래 예문의 'the child'는 목적격 즉 대명사가 아니므로 어느 위치에 와도 문제가 없고 의미상으로도 차이가 없다.

The taxi will drive in to pick the child up.

The taxi will drive in to pick up the child.)

s v c
It *is* convenient to drive in for a quick errand. (2)

빠른 심부름을 위해서는 운전하는 것이 편하다.

s   v
The delivery van *will drive in* with the supplies. (1)

배달용 밴은 보급품을 갖고 운전해서 갈 것이다.

s v
I *drive in* from the back entrance for easy access. (1)

나는 쉬운 짐 처리를 위해 뒷문으로 운전해 들어간다.

S   V
<u>The school bus</u> *drives in* to drop off students after field trip (1)

학교버스는 견학 후 학생들을 내려주기 위해 운행한다.

3) pull in ; 도착하다.

S V O
<u>The train</u> *began* <u>to pull in</u> at the station. (1)

기차가 정류장에 도착하기 시작했다.

S   V
<u>The car</u> *pulled in* smoothly to the parking space. (1)

차가 주차장에 부드럽게 들어왔다.

2-2 동사 + in + 목적어

전치사 뒤에 전치사가 수반하는 명사가 뒤따른다.

위에서 명사는 명사, 동명사, 문장(목적절)을 의미한다.

1) appear in ~에서 나타나다

의미상으로 보아 ~는 장소나 위치가 될 가능성이 높다. 가능하면 그 외의 경우를 예로 들었다.

```
S          V
```
Doubts *appeared in* his mind. (1)

의심들이 그의 마음 속에 나타났다.

```
S              V
```
Opportunities *appeared in* unexpected places. (1)

기회는 예상치 못한 곳에서 나타났다.

```
S       V
```
Hope *appears in* the midst of despair. (1)

희망은 절망 속에서 나타납니다.

```
V            V
```
A pattern *appeared in* the chaos. (1)

혼란 속에서 하나의 패턴이 나타났다.

```
S            V
```
A message *appeared in* the code. (1)

암호 속에서 하나의 메시지가 나타났다.

2) believe in ~ 을 믿다, 신뢰하다

'believe'가 사실이나, 주장 등 주어진 정보를 믿는 것을 의미하는데 'believe in'은 사람이나 집단 혹은 그것의 가치나 주관 혹은 신념, 가치 등 좀 더 구체성을 띠고 강조하는 의미가 있다.

S V　　　　O
I *believe in* angels. (3)

나는 천사를 믿습니다.

S V　　　　O
I *believe in* love at first sight. (3)

나는 첫눈에 반하는(사랑) 것을 믿습니다.

S　V　　　　O
We *believe in* equal opportunities for everyone. (3)

우리는 모든 사람에게 동등한 기회가 있다는 걸 믿는다.

　　S　V　　　　O
Do you *believe in* fate or free will? (3)

당신은 운명을 믿습니까? 아니면 자유 의지를 믿습니까?

S　　　　V　　　O
The scientist *believes in* the scientific method. (3)

과학자는 과학적 방법을 신뢰합니다.

3) break in ~ 침입하다, 끼어들다, 시작하다, 적응하다, 새로운 장비나 물건을 익숙하게 하다.

break in 은 우리말의 입장에서 보면 '공통점이 없어 보이는' '서로 연결이 되지 않는' 여러 의미로 사용된다.

근본적으로는 '~ 안에서 깨어지다'의 뜻이므로 어쩌면 현재 존속하는 것을 깨부수므로 시작하거나 끼어드는 포괄적 의미가 이해될 수도 있다.

s   v   o
The kid *wants* to break in a new pair of shoes. (3)

그 아이는 새신발을 신어보고 싶었다.

(*이 문장에서 'in'을 생략하면 새 신발을 찢거나 손상시키는 의미가 되므로 완전히 다른 문장이 된다. break in 을 사용하면서 그 안에서 평상의 불편한 상황을 깨부수어 편안해졌다는 의미가 된다. 아마 최초 신발이 나온 시점에서는 신발이 무척 편안하고 안전함을 제공하여 만들어진 말이 아닌가 여겨진다.)

s   v   o
The news of the accident *will break in* the evening broadcast. (3)

사고 소식은 저녁 방송에서 전해집니다.

       v   s v
Please *don't break in* while I *am speaking*. (1, 1)

내가 말하는 동안은 끼어들지 말아주세요.

(*while 은 종종 주어, 동사를 생략하고 'while speaking'처럼 사용된다. 반드시 앞 문장의 주어와

시제가 같을 때이다. -시제는 동일할 수밖에 없지만- 여기서는 앞 문장의 주어인 'you'가 생략된 것이므로 while 문장 주어가 다르니까 생략되면 안된다. 동사 역시)

S V O
He *tried* to break in on our conversation. (3)

그는 우리들 대화 도중에 끼어들려고 시도했다.

S V O
They *broke in* the new equipment before the event. (3)

그들은 행사 전에 새로운 장비에 적응했다.

S V O
They *attempted* to break in through the back door. (3)

그들이 뒷문을 통해 침입하려고 시도했다.

S V O
The musician *wanted* to break in with a new sound. (3)

그 음악가는 새로운 음향을 시도해보기 원했다.

S V O
The rain *threatens* to break in on our outdoor plan. (3)

비는 우리의 외부활동을 방해하는 데 위협이 된다.

S V C
It *is* important to break in hiking boots before a long trek. (2)

장기간 힘든 여행 전에 하이킹 부츠 적응이 중요하다.

4) bring in ~ 을 도입하다, 가져오다.

전치사 없는 것과 'in'이 포함된 의미가 비슷하지만 bring 은 단순히 물건이나 사람을 가져오는 것을 의미한다면 bring in ~은 행사나 프로젝트 등 특정한 상황이나 공간으로 가져오거나 도입하는 행위 자체를 의미한다. 강조의 의미로도 사용한다.

　　S　　V　　　O
Can you bring in the chairs for the meeting? (3)

회의를 위해서 의자를 가져올 수 있겠니?

S　　　　V　　　O
The company decided to bring in a consultant. (3)

회사는 자문역을 하나 데려오기로 결정했다.

S　V　　O
We need to bring in more participants for the study. (3)

우리는 연구를 위해 좀 더 많은 참여자들을 데려오기를 필요로 한다.

　　　　V　　　O
Please *bring in your ideas* for the project. (3)

프로젝트를 위해서 여러분이 아이디어를 내세요.

S　　　　V　　　O
The coach brought in a new player for the team. (3)

감독은 팀을 위해 새로운 선수를 데리고 왔다.

5) build in ~ 을 만들다, 세우다, 마련하다.

　　S　　V　　　　O
We *decided* to build in extra time for the project. (3)

우리는 프로젝트를 위해 추가로 시간을 만들기로 결정했다.

　　　S　 V　　　　O
Can you *build in* some flexibility to the schedule? (3)

일정에 약간의 융통성을 마련할 수 있겠니?

S　V　C
It *is* important to build in breaks during long meetings. (2)

오랜 회의 시간동안 휴식을 마련하는 것은 중요하다.

　　S　　　 V　　　　O
The chef *wants* to build in variety to the menu. (3)

요리사는 메뉴에 다양성을 만들어 보기를 원했다.

　　　S　　　　V　　　　O
The teacher *will build in* review sessions before exams. (3)

선생님이 시험 전에 검토를 위한 과정을 만들 것입니다.

　　　S　　　　V　　　　　O
The engineer *will build in* energy-efficient systems for the building. (3)

엔지니어가 빌딩을 위한 에너지 효율시스템을 건설할 것이다.

　　　　S　　　V　　　　O
The city *plans* to build in green spaces for urban planning. (3)

도시는 도시 계획을 위해 녹색 공간 건설 계획을 합니다.

(*city 는 주로 건물이나 인프라, 상업 시설 등이 많은 도시를 일컬을 때 사용되며 urban 은 주로 도시의 특성이나 문화, 예술 등을 설명할 때 사용되는 경향이 있다. 설령 인구 밀도가 높고 지역이 크지 않더라도 종종 urban 을 사용하는 듯하다.)

　　S　　　　V　　　　O
The coach *builds in* rest days for the athletes. (3)

감독이 운동선수들을 위해 휴식 기간을 만듭니다.

6) buy in ~ 대량 구매하다, 특정 목적을 위해 구매하다, 시장에 도입하다.

　　in 없이 사용할 때와 비슷하지만 규모가 크거나 목적 있는 구매에 주로 사용한다.

　S　　　　　O
We *need* to buy in bulk for the party. (3)

우리는 파티를 위해 벌크(묶음 단위)로 살 필요가 있다.

　S　　V　　　　O
She *bought in* large quantities for the sale. (3)

그녀는 세일 동안 대규모의 양으로 구입했다.

　　　　　　v　　　 o
The chef *buys in* fresh ingredients for the menu. (3)

요리사는 식단을 위해 신선한 재료들을 구매합니다.

s　　　　　　 v　　　 o
The company *buys in* new equipment for the project. (3)

o
회사는 프로젝트를 위해 새로운 장비를 구매합니다.

s　　　　 v　　　 o
The store *needs to buy in* more stock for the promotion. (3)

상점은 홍보를 위해 더 많은 재고를 사들일 필요가 있다.

　　　　s　　v　　 o
Can you *buy in* specialty items for the exhibition? (3)

전시회를 위해 특별한 아이템을 살 수 있겠어요?

s　　　　　　 v　　　 o
The department *will buy in* software for the team. (3)

그 부서는 조직을 위해 소프트웨어를 구매하려고 합니다.

7) call in　~으로 전화를 하다, 부르다, 요청하다, 제출하다.

　　call 동사는 매우 다양한 의미로 사용된다. 부르다, 소리치다, 전화하다, 요구하다, 요청하다 등.

183

기본적으로는 크게 소리치는 의미가 있는데 아마도 요구하거나 요청할 때 큰 소리로 말을 했고 과거 전화가 발명된 초기에는 음질이 좋지 않아 크게 소리를 질렀을 것이다. 선생님이 학생들에게도....

S V O
I *need* to call in sick today. (3)

오늘 병가를 내야겠어. (병으로 결석 or 결근을 요청하다)

S V O
We *decided* to call in the experts for help. (3)

우리는 도움을 받기 위해 전문가들을 부르기로 결정했다.

S V O
You *can call in* your order ahead of time. (3)

당신은 미리 주문을 요청할 수 있습니다.

S V O OC
The teacher *asked* the students to call in their homework assignments. (5)

선생님은 학생들에게 숙제 과제를 제출하라고 요구했다.

S V O OC
The police officer *instructed* the witness to call in any additional information. (5)

경찰은 목격자에게 어떠한 추가 정보라도 제출하라고 명령했다.

S V O OC
The event organizers *requested* participants to call in their RSVPs. (5)

행사 주최자는 참석자들에게 회신을 요청했습니다.

(*RSVP ; 프랑스어 Reponse Sil Vous Plait 의 약자로 회신을 부탁한다는 의미. 영국이나 미국에서 공식적 문서의 편지 끝에 종종 이러한 문구를 덧붙인다.

Reponse ;회신을 주세요. Sil Vous Plait ; please)

s   v   o
I *need* to call in my order for takeaway.

나는 포장으로 주문을 요청하고 싶습니다.

8) continue ~을 계속 이어 나가다, 지속하다.

(*keep 동사도 '~을 유지하다, ~을 계속하다' 의미를 갖는다. 주로 어떤 동작을 유지하는 의미로 쓰여서 동명사-현재분사라고 해도 무방하다, 사실상 같은 맥락이므로-가 목적어로 온다. continue 는 keep 에 비해 끊임없이 무언가 계속되는 상황을 표현할 때 주로 쓰인다. '공부를 끊임없이 하다' 등에서는 잘 사용하지 않는다. 사실상 공부처럼 어떤 동작은 끊어지지 않고 계속되지 않는다. 개념적으로 넓고 크게 보아서 계속 이어지는 상황에 continue 가 사용된다.)

s   v   o
The team *continues in* the same direction for the project. (3)

그 팀은 프로젝트를 위해 같은 방향을 지속하고 있다.

s   v   o
You *should continue in* your efforts to achieve the set goals.

너는 정해진(set ; 여기서는 과거분사로 사용) 목표들을 달성하기 위해 너의 노력을 계속 이어 나가야 한다.

S   V   O
The company *continues in* the market expansion strategy. (3)

회사는 시장확대전략을 계속 진행하고 있습니다.

S   V   O
The students *should continue in* their studies despite the difficulties. (3)

학생들은 난관에도 불구하고 그들의 학업을 계속해야만 한다.

S   V   O
The road *continues in* a straight line for the next few miles. (3)

길은 다음 서너 마일은 곧장 직선으로 계속 이어진다.

S   V   O
The athlete *continued in* training for the upcoming competition. (3)

그 선수는 다음 경쟁을 위해서 훈련을 계속 이어갔다.

S   V O
The band *continued in* their tour visiting more cities. (3)

그 모임은 도시를 더 방문하면서 그들의 관광을 계속했다.

9) die in ~ 안에서 죽다, 생명을 잃다, 수명을 다하다.

    die in 다음에 오는 단어는 거의 어떤 장소나 상황을 의미하는 것이 대다수다. 굳이 숙어라고 하고 목적어라고 할 수는 없지만 우리말과 다른 die 의 다양한 표현을 보여주고자 한다.

S   V
The insect *died in* the spider's web. (1)

그 곤충은 거미줄 안에서 죽었다.

S   V
The dog *died in* its sleep. (1)

그 개는 자면서(직역; 자신의 수면 속에서) 죽었다.

S   V
The battery *will die* in a few hours if not recharged. (1)

그 배터리는 다시 충전되지 않으면 몇 시간 안에 꺼진다.

S   V
The plant *is dying in* the absence of sunlight. (1)

식물은 햇빛이 없어 죽어가고 있다.

S   V
The hopes of the team *died in* the final minutes of the game. (1)

시합의 마지막 순간(몇 분) 그 팀의 희망은 사라졌다.

S   V
The tradition *may die in* the face of modernization. (1)

전통은 현대화의 목전에서 사라질 지 모른다.

S   V
The rumors about the celebrity's death *died in* the media. (1)

그 셀럽의 죽음에 관한 소문들은 매스컴에서 사라졌다.

(셀럽; 영향력 있는 저명인사나 연예인 celebrity)

10) fall in ~에 빠지다.

S   V   V
They *met* during a vacation and *fell in* love. (1, 1)

그들은 휴가 중에 만나 사랑에 빠졌다.

                                   S   V
After a few months of dating, they *had fallen in* love with each other.

데이트 몇 달 후, 그들은 서로 사랑에 빠졌다.

S V   O   S   V   O
It *took* him by surprise when he *stared to fall in* love with his best friend. (3, 3)

그가 자기의 가장 친한 친구와 사랑에 빠지기 시작했을 때 그것은 그를 깜짝 놀라게 했다.

S   V   O
She *never expected to fall in* love at first sight. (3)

그녀는 첫 눈에 사랑에 빠질 거라는 것을 전혀 예상하지 못했다.

11) follow in ~ 뒤를 잇다, 따르다.

S V O
He *decided* to follow in his father's footsteps. (3)

그는 아버지의 발자취를 따르기로 결정했다.

S   V   O
The team *agreed* to follow in the coach's strategies for the upcoming match. (3)

팀은 다가오는 시합에서 감독의 작전을 따르는데 동의했다.

S   V O
The company *plans* to follow in the path of innovation.

그 회사는 혁신의 과정을 따르는 계획을 세웁니다.

 S   V O
Their project *aims* to follow in the spirit of collaboration and cooperation. (3)

그들의 프로젝트는 협동과 조화의 정신을 이어 나가는데 목표를 둡니다.

12) get in ~을 취하다, 갖다, 소유하다(잠시)

 일반적으로 **get** 은 **take** 보다는 적고 **have** 보다는 길고 강하게 소유하는 느낌이다.

take < get < have

Take my hand. 내 손을 잡아주세요.

I have got a new car. 새 자동차가 생겼어.

I have a new car. 난 새 차가 있어.

   V   O OC
Let's get in touch. 연락하자. (5)

직역; 만지는 것을 가집시다.

(*Let's keep in touch. 연락하고 지내자.

  직역; (You) let us (to) keep in touch.

      너희들은 우리가 만지는 걸 유지하게 해줘.

일종의 명령어라 주어가 생략되었고 사역동사 **let** 이 있으므로 그 뒤에 오는 동사 'to keep'에서 'to'가 생략되었다.)

S V C
It *is* important to get in line early to secure good seats for the concert. (2)

콘서트에서 좋은 좌석을 안심하고 얻기 위해 일찍 줄을 서는 것이 중요합니다.

          V   O OC
Please *help* me get in contact with customer service. (5)

고객서비스를 가려는데 도와주시겠어요.

(*help 다음에 오는 동사는 'to'를 생략할 수 있다.)

S V   O
We *get in* the habit of exercising regularly for better health. (3)

우리는 더 나은 건강을 위해 규칙적인 운동 습관을 갖고 있습니다.

V O OC
Let's *get in* some practice before the big game. (5)

큰 시합 전에 조금 연습을 합시다.

(*사역동사 let 의 뒤에 오는 동사이므로 'to get'에서 'to'를 생략하였다.)

S   V   O
I *want* to *get in* the information about the schedule changes. (3)

일정 변경에 관한 정보를 얻고 싶습니다.

S   V   O
He *is excited* to *get in* on the opportunity to participate in the science fair. (3)

그는 과학전람회에 참가하는 기회를 얻은 상태에 놓여 너무 흥분된 상태다.

S V   C
It *is* essential to get in the details before making any decisions. (2)

어떤 결정을 하기 전에 상세 사항을 얻는 것은 필수적이다.

   V   O
Make sure to get in some quality time with family during the holidays. (3)

넌 휴일동안 가족과 함께 좋은 시간을 갖도록 꼭 해라.

(*명령어이므로 주어 'you'가 생략되었다. '너' 혹은 '너희들'로 볼 수 있다.)

13) give in ~ 에 굴복하다, 주다, 베풀다, 치료하다, 넘겨주다, 기부하다.

    (*give in ~는 매우 다양하게 사용된다. '굴복하다', '주다'처럼 매우 상반된 의미처럼 보이기도 한다. 궁극적으로 하나의 단어가 정반대의 두가지 개념을 갖을 수는 없을 것이다. 필자의 생각이지만 기본적으로는 '~의 안에다 넣어주다'의 의미를 갖고 있으며 논리적, 감정적으로 자발적이라기보다 뭔가 강제적, 혹은 압박의 상태로 주게 되는 느낌이 강하다. 대략 학습하는데 다소 도움이 될 것으로 보인다.)

S V   O   V   IO DO
He *gave in* to her request and *lend* her some money. (3, 4)

그는 그녀의 부탁을 받아들였고 돈을 조금 빌려주었다.

S V C
It *is* important to give in to the need for rest and relaxation during busy time. (2)

바쁜 시간 동안 휴식과 느긋함을 위한 필요성을 인정하는 것이 중요하다.

　　　　　　　S　 V　　 C
Sometimes, it is better to give in to the temptation of a sweet treat. (2)

가끔은 한번의 달콤한 접대의 유혹에 굴복하는 것이 더 좋기도 하다.

　　S　　　　　V　　　　O
The teacher had to give in to the student's request for an extension on the assignment. (3)

선생님은 과제의 연장에 대한 학생들의 요구를 들어주어야 했다.

　　S　　　　　V　　 O
The company had no choice but to give in to market demands and lower the product price. (3)

회사는 더 낮은 상품 가격과 시장의 요구에 대해 굴복하는 것 밖에는 선택이 없었다.

(*but ; ~ 밖에는 없다. ~을 빼고, 제외하고

　not A but B ; A가 아니고 B다. B를 뺀 A는 아니다.)

　　S　　　　V　　　 O
The politician refused to give in to the pressure
　　　　　V　　 O
and stuck to his principles. (3, 3)

그 정치인은 압력에 굴복하는 것을 거절했고 자기의 원칙을 고수했다.

S V　 C
It is necessary to give in to the natural flow of events and accept the outcome. (2)

행사의 자연적 흐름을 받아들이고 지출을 받아들이는 게 필요하다.

Sometimes, the parent gives in to the child's insistence on having ice cream for dinner. (3)
　　　　　　　S　　　 V　　　　O

가끔 부모는 저녁 식사에 아이스크림을 먹겠다는 아이들의 고집에 굴복한다.

In negotiations, both parties may need to give in a little to reach a compromise. (3)
　　　　　　　　S　　　　V　　　　　O

협상에서 양쪽의 당은 합의에 도달하기 위해 작은 것을 포기해야 할 필요가 있을 지도 모른다.

14) go in ~ 안으로 들어가다

go 단어의 성격 상 전치사 in 다음에는 장소가 나올 가능성이 매우 크다. 장소가 나오므로 너무 당연하게 볼 수 있지만 'go in ~'으로 익히면 영작할 때 활용성이 더 좋다. 'go to'보다 명확하고 강조의 의미가 된다.

'go to ~'는 어느 장소를 직접적으로 향하여 간다는 의미가 강하고 'in'은 어느 특정 장소를 들어가는 것을 강조한다. 'go for ~'는 어떤 것을 향하여 간다는 의미가 강한데 어느 장소나 위치보다 '~을 찬성하다, 지원하다, 시도하다, 지지하다' 등 다양한 의미로 활용된다. 대략 추상명사를 향해서 go 하므로 그 의미의 추론이 가능할 것이다.

V　 O　OC
Let **me** *go* in the room and wait for her. (5)

방 안으로 들어가서 그녀를 기다리게 해주세요.

(*일종의 명령어(간접명령어라 함)이므로 주어 생략되었고 let이 사역동사이므로 'to go'와 'to wait'에서 'to'가 생략)

S　　　　　 V　 O
The children *like* *to go* in the park after school. (3)

아이들은 학교가 끝나면 공원으로 가고 싶어합니다.

S　　　　 V
My son often *goes in* the library to study. (1)

나의 아들은 가끔 공부하러 도서관으로 들어갑니다.

S　　　 V　 O
The cat *likes* *to go in* the box and hide. (3)

고양이는 박스 안으로 들어가 숨고 싶어한다.

S　　　　　 V　 O
The dog always *wants* *to go in* the backyard. (3)

그 개는 항상 뒷마당으로 들어가고 싶어한다.

S　 V　　　　　　　　 V　 O
He *went in* the garage and found the tools. (1, 3)

그는 차고로 들어가서 연장을 찾았다.

S　 V　 O
He *loves* *to go in* the mountains and hike. (3)

195

그는 산으로 들어가 산책하는 것을 너무 좋아한다.

15) grow in ~ 키우다, 성장하다, 강해지다, 확장하다, 발전하다, 증가하다.

S   V
Knowledge and wisdom *grow in* the mind. (1)

지식과 지혜는 정신에서 성장한다.

   S   V   O
Confidence *tends* to grow in challenging situations. (3)

자신감은 도전의 상황에서 성장하려는 경향이 있다.

S   V
Opportunities for success *can grow in* unexpected places. (1)

성공을 향한 기회는 예상치 못한 장소에서 성장할 수 있다.

  S   V
Skills and talents often *grow in* diverse experiences. (1)

기술과 재능은 가끔은 다양한 경험에서 발전한다.

S   V
Business relationships *can grow in* a competitive market. (1)

거래 관계는 시장 경쟁 속에서 성장할 수 있다.

```
      s                     v       o         oc
```
Love and understanding *help* relationships grow
in strength. (5)

사랑과 이해는 강인함 속에서 관계가 발전하는 것을 돕는다.

(*help 뒤에 오는 동사는 'to(grow)'를 생략할 수 있다.)

```
   s            v        o
```
Technology *continues* to grow in complexity and sophistication. (3)

기술은 복잡성과 세련함 속에서 성장하려고 계속된다.

16) happen in ~ 속에서 일어나다, 발생하다, 생기다

　　대개는 우연히 일어나거나 예상치 못한 상황에서 발생할 때 또는 제어하기 힘든 일이 일어나는 경우에 표현한다. 예상하거나 당연 혹은 거의 습관적으로 발생하고 결과를 유발한다고 할 때 **cause** 를 사용한다. **matter** 도 ~이 발생한다는 의미지만 매우 중요하거나 문제를 야기시킬 때 사용한다.

(*이처럼 우리말 단어가 영어로는 서너 개로 상세하게 세분되는 단어가 아주 많다. **see, look, watch, find** 등 '보다'라든가 **say, talk, tell, speak** 등처럼 무수히 많다. 영어의 단어 수가 우리말보다 3 배 가까이 많은 이유도 표현을 세분화하기 위해서 단어가 구분되었을 것이다. 그래서 영작을 할 때 거의 서너 개 중 하나를 골라서 사용해야 적당한 표현이 된다. 이런 것들도 영어가 어려운 점 중 하나다.)

S   V
Unforeseen challenges *can happen in* any project. (1)

예상치 않은(우연한) 도전은 어떤 프로젝트에서도 발생할 수 있다.

(*unforeseen 말 그대로 'fore; 미리', 'seen; 보이는 상태 앞에 부정 의미인 'un'을 붙였다고 보면 된다.)

S   V
A beautiful moment *happened in* the midst chaos. (1)

아름다운 순간이 혼란의 가운데서 발생했다.

S   V
Valuable lessons *can happen in* the process of failure. (1)

소중한 교훈은 실패의 과정에서 생겨날 수 있다.

S   V
Unplanned events often *happen in* the course life. (1)

계획하지 않은 사건들은 인생 여정 중에서 가끔 일어난다.

S   V
Special moments *happen in* ordinary situations. (1)

특별한 순간은 평범한 상황에서 일어난다.

17) hope in ~ 안에서 희망한다, 원한다. ~을 바란다.

s   v   o   s   v   o
We hope in the future that we can find a solution to this problem. (3(3))

우리가 앞으로(미래에) 바라는 것은 우리가 이 문제에 대한 해결책을 찾을 수 있는 것이다.

(*문장 속에 문장이 있다. 즉 목적어 단어 대신 문장이 왔으므로 목적어 위치를 의미하는 '3'을 괄호 안에 두었다.)

s   v   o   s   v   c
He hopes in his heart that everything will be okay. (3(3))

그가 마음 속에서 바라는 건 모든 것이 다 잘될 것이라는 것이다.

(*in his heart 는 문장의 끝에 오면 다른 의미가 된다. '마음 속에 일어나는 모든 것이 잘 되기를 바란다'의 다른 의미다. 그러므로 '장소, 시간' 등이 무조건 문장의 뒤에 오는 것은 아니다. 해당 관련한 의미 다음에 와야 한다.)

s v   o
I hope in the success of my new venture. (3)

나는 나의 새로운 모험의 성공이 (속에) 있기를 바란다.

s   v   o
We are hoping in a better economy next year. (3)

우리는 내년에 더 나은 경제가 되기를 간절히 바라고 있다.

(*보통 상태동사는 진행형을 사용하지 않지만 강조할 때 사용한다. 즉 '~ 희망하고 있는 중이야' 이렇게 현재분사를

사용하면 그 상태가 보다 더 명확하고 확실하게 보이므로 강조가 된다. I am happy. -> I am being happy. 나는 지금 행복한 중이야. 난 지금 너무 너무 행복해.)

```
 S     V           O
He hopes in the improvement of our relationship.
(3)
```

그는 우리의 관계가 향상되기를 바래.

```
 S     V          O
She hopes in achieving her career goals. (3)
```

그녀는 자신의 경력 목표가 성취되기를 바라고 있습니다.

```
 S    V         O
We hope in a peaceful resolution to the conflict.
(3)
```

우리는 충돌에 대한 평화적인 해결을 희망합니다.

```
   S        V        O
Doctors hope in finding a cure for the disease. (3)
```

의사들은 그 질병의 치료법을 발견하기를 바랍니다.

```
 S    V        O
We hope in a smooth implementation of the policy. (3)
```

우리는 그 정책의 원활한 이행을 희망합니다.

18) know in ~ 속(안)에서 알고 있다, 느끼고 있다.

```
S  V              O   S   V         O
I know in my heart that he is telling the truth.
(3(3))
```

내가 마음 속에서 알고 있는 건 그가 지금 진실을 말하고 있다는 것이다.

```
s       o        v                        o     s
The teacher knows in his experience that p
         v   c
ractice is essential. (3, 2)
```
선생님은 자기의 경험에서 볼 때 훈련은 필수적이라는 것을 안다.

```
s v        o              s     v  c
I know in my instinct when danger is near. (3, 2)
```
나는 본능적으로 위험이 가까이 왔다는 것을 안다.

```
s   v               o   s     v  c
He knows in his being that honesty is the best policy. (3(2))
```
그는 정직의 최고의 정책이라는 걸 그의 존재(삶) 속에서 안다.

```
s    v                  o    s   v  c
She knows in her inner self that she is capable of success. (3(2))
```
그녀는 자기가 성공의 능력이 있다는 걸 내적으로 안다.

```
s    v               o    s   v        o
They know in their hearts that love conquers all. (3, 3)
```
그들은 자신의 마음 속에서 사랑이 모든 걸 정복할 수 있다고 생각한다.

```
 S       V                    O  S    V
The team knows in their unity that they can
               O
achieve greatness. (3(3))
```

그 팀은 단결 속에서 그들이 위대한 성취를 할 수 있다는 것을 안다.

19) learn in ~을 공부한다, 속에서 배운다, 익힌다.

    (*learn 은 전문적인 분야나 기술을 배우거나 깨닫는 학습을 주로 의미한다. 그래서 종종 '깨우치다, 알게 되다, 학습하다' 의미로 사용된다.

    study 는 연구처럼 어떤 목적을 위해 혹은 주제를 위해 조사하고 이해하는 공부할 때 주로 사용한다.)

```
   S      V     O
Students learn in various subjects.
```

학생들은 다양한 주제를 배우고 있다.

```
S V   C
It is important to learn in-depth knowledge in your field of expertise. (2)
```

전문적인 분야에서 깊은 지식을 배우는 것은 중요하다.

```
 S    V        O
We learn in different ways. (3)
```

우리는 다른 방법들을 배우고 있습니다.

S　　　　V
New skills *can be learned in* practical, hands-on situations. (1)

새로운 기술은 손에 놓여진 상황에서 연습으로 습득될 수 있다.

　　　　S　　　　　　　　　V
Many valuable life lessons *are learned in* difficult situations. (1)

많은 소중한 인생 교훈은 어려운 상황에서 학습된다.

　　S　　　　　V　　　O
Team members *learn in* the collaborative effort of a project. (3)

팀 멤버들은 하나의 프로젝트에서 협동적 노력을 배운다.

20) leave in ~ 을 남겨두고(안에서) 떠나다, 남겨두다.

　　(*leave 는 '남겨두다, 떠나다' 두가지 의미가 있다. 사실 둘 사이는 정 반대의 의미 같지만 목적어가 없으면 '떠나다'고 있으면 '~을 남기다'가 되니까 결국 같은 의미다. 우리말은 두가지 의미지만 영어로는 하나의 단어다.)

V　　　　　O
Make sure *to leave in* your contact information. (3)

당신의 연락처 남기는 걸 잊지 마세요.

직역; 만드세요 확실하게. 당신의 연락 정보 남기는 것을.

(*주어 'You'가 생략되었다.)

S   V
You *should leave in* advance to avoid traffic. (3)

너희들은 교통 혼잡을 피하려면 미리 떠나야 해.

(*in advance 미리, 앞서서. 여기서는 leave in 보다는 in advance 의미로 전치사가 사용되었다. 비슷한 또 하나의 예는

I want to leave in a hurry. 나는 서둘러 떠나고 싶어.)

        V   O
Please *make* sure to leave in an organized manner. (3)

떠날 때는 잘 정리하고 떠나야 함을 확실하게 하세요.

(*organized manner ; 잘 정리된 예절로 물품이나 환경 혹은 파일이나 컴퓨터 내의 앱 등도 체계적이고 질서 있게 정리하여 타인에게 편리하게 사용하도록 할 때 사용한다.)

S   V   O
Students *are allowed* to leave in the break between classes. (3)

학생들은 수업 사이에 쉬는 시간이 남겨지도록 허용됩니다.

S V   O
I *am planning* to leave in the next available slot. (3)

나는 다음 가능 시간을 여지에 두고 계획하고 있습니다.

(*next available slot 은 다음 가능 시간을 의미하는데 미리 일 수도 있고 후 일 수도 있다. 즉 선택의 여지를 남길 때 사용하는 표현이다.)

21) look in ~ 안을 들여다보다, 살펴보다, 조사하다.

    ~ into 는 안을 들여다보는 과정까지 의미 '안쪽을 쭉 훑어보다, 샅샅이 들여다보다.

    ~ after 는 '뒤를 보다', '뒤 쫓다', 뒤를 보니까 '돌보다' 의미도 있다.

    ~ for '~를 향하여 보다'이므로 '기대하다, 고대하다'

  S   V   O   V
He *looked in* the mirror and *smiled*. (3, 1)

그는 거울 안을 들여다보고 웃었습니다.

S   V   O
She *looked in* the textbook for the information. (3)

그녀는 정보를 위해서 공책을 들여다보았다.

S   V   O
The detective *looked in* the suspect's pockets. (3)

형사가 용의자의 주머니 안을 조사했다.

V   O
Look in the dictionary to find the meaning of the word. (3)

그 단어의 뜻을 찾으려면 사전을 들여다보세요.

(*주어 'You'가 생략)

　　ㄴ　v　　　　o
He *looked in* the trash for the lost document. (3)

그는 잃어버린 서류 때문에 쓰레기 안을 뒤졌다.

22) pass in ~ 을 제출하다.

> 안쪽으로 (밀어) 넣다. 안으로 넣는 것으로 보아 아마도 어떤 기관이나 상급자 등에 지시를 받거나 어떤 목적을 위해 무언가를 넣었을 것이다. 그 이유를 대화 상대와 서로 알거나 앞뒤 문맥으로 보아 짐작이 된다면 목적어가 필요 없을 수도 있지만 대개는 무엇을 넣었는지 목적어가 수반된다. 거기에 그 이유가 나올 가능성이 있다.

s　v　　　　o
I *passed in* my assignment before the deadline. (3)

나는 마감일 전에 내 숙제를 제출했다.

s　v　　　o
He *passed in* his application for the job. (3)

그는 직장을 얻으려고 이력서를 제출했다.

s　　v　　　　o
They *were instructed* to pass in their permission slips. (3)

그들은 허가증 제출을 명령 받았다.

S　　　　　V　　O
The athlete *had* to pass in his medical clearance to participate. (3)

그 운동선수는 참가를 위한 의료허가를 제출해야만 했다.

　　　S　　　　　　V　　　　　　O
The passenger *was requested* to pass in his boarding pass. (3)

여행객은 탑승권을 제출하도록 요청 받았다.

　　　S　　　　　V　　　O
The employees *needed* to pass in their time sheets for the week. (3)

직원들은 그 주의 시간근무일지 제출할 필요가 있다.

(* need 는 원하다, 요구한다 등의 완만한 표현으로 사용된다.)

　　S　　　V　　O
The players *have* to pass in their equipment for the inspection. (3)

선수들은 검사를 위해 그들의 장비를 제출해야만 한다.

23) pay in ~으로 지불하다, 안에서 지불하다, ~을 위해 지불하다.

　　　주로 지불 방식, 방법 혹은 장소, 위치 등을 의미한다.

S V　　O
I *paid in* cash for the groceries. (3)

나는 식료품류는 현찰로 지불했다.

207

S　　　V
You *should pay in* advance for the concert ticket. (2)

콘서트 티켓은 미리 지불해야만 합니다.

직역; 당신은 미리를 지불하여야 합니다. 콘서트표를 위해.

(*in advance 는 '미리'라는 뜻으로 'pay in' 보다는 'in advance' (부사구)로 인식하는 것이 좋다. 직역대로면 'advance'가 목적어로 보이기는 한다.)

　　　S　V　　O
Do I *pay in* installments for the furniture? (3)
가구 설치를 위한 지불을 하나요?

직역; 제가 가구를 위해 설치를 지불하나요?

　S　　　　　V
The customer *will pay in* person at the counter. (1)

고객은 카운터에서 직접 지불할 것입니다.

('pay in person' 사람이 지불하는 방식을 의미해서 직접 (카운터 등으로) 가서 지불하다의 뜻. 직역하면 '사람을 지불하다'로 'person'이 목적어일 수 있지만 좀 무리이며 비약이긴 하다. -이해나 용이한 기억을 위해)

S V　　O
I *prefer* to *pay in* credit for online transactions. (3)

인터넷에서 구매는 신용카드로 지불하는 것을 선호한다.

S V   C
It *is* common to pay in dollars when traveling abroad. (2)

해외 여행을 할 때는 달러를 지불하는 것이 보통이다.

(*'근사하다, 멋지다, 아름답다' 등의 강조하고자 하는 형용사를 먼저 앞에서 언급하고 이유를 뒤에서 표현하는 것이 영어식이다.

It is nice to meet you. 반가워요. 당신을 만나게 되어.

It is great to be here.

근사합니다. 여기에 오게 되어(존재해서).

It is important to save the money.

중요해, 저축하는 건(직역; 돈을 구하는 건).

It is wise to plan for retirement early. 현명해요, 은퇴를 일찍 계획을 세우는 것은.

It is not easy for me to speak English. 쉽지 않아요. 나에게 영어로 말하는 것은.)

24) pull in ~ 안으로 끌어들이다, 당기다, 도착하다, 어떤 이익이나 유리함을 만들거나 창출하다.

　　'pull in' 다양한 의미로 사용된다. 직역하면 '안으로 끌어 당기다'인데 우리말에도 흔히 '100 만원만 땡겨줄 수 있어?', '미리 당기도록 하자' 등 사용하는 것과 비슷하다고 보면 이해가 빠르다.

'도착하다'는 말이나, 소, 마차, 자동차 등의 기어나 고삐 등을 '당기다'에서 유래한 것으로 보인다.

S V   O
I *pulled in* the fishing net from the water.

나는 물에서 그물망을 끌어당겨 올렸다.

S   V
The driver *pulled in* for a quick rest.

운전수가 잠깐 휴식을 위해 차를 세웠다.

S   V   O
The chef *pulled in* fresh ingredients from the garden. (3)

요리사가 정원에서 신선한 재료를 땄다(당겼다).

S   V   O
The pilot *pulled in* the landing gear for a smooth descent. (3)

조종사가 부드러운 하강을 위해 착륙 기어를 (끌어)당겼다.

S   V   O
The company *needed* to pull in extra staff for the busy season. (3)

회사는 바쁜 계절동안 추가로 진행인원을 고용할(당길) 필요가 있었다.

25) reach in ~ 손이나 팔, 기구 등을 이용해 어떤 물건의 안쪽에 넣거나 공간에 도달하거나 접근할 때 사용한다. 주로 찾으려고 하는 행동이 많다.

(*reach 는 도달하다, 연락하다 뜻도 있다.

You can reach me by phone anytime.

너는 언제든 나에게 전화하면 돼.

You can reach me at my office.

사무실로 언제든 오면(연락하면) 돼.

You can reach me for any help.

어떤 도움이든 필요하면 연락해.)

s v   o
<u>I</u> *reached in* <u>the bag</u> to find the key. (3)

열쇠를 찾으려고 그 가방 안쪽으로 (손을) 넣었다.

s   v   o
<u>The kid</u> *reached in* <u>the box</u> to grab a snack. (3)

그 아이는 간식을 잡으려고 박스 안에 (손을) 넣었다.

s v   o
<u>He</u> *reached in* <u>his pocket</u> to pull out his phone. (3)

그는 전화기를 꺼내려고 주머니 속에 (손을) 넣었다.

s   v   o
<u>The company</u> *hopes* to <u>reach in</u> new markets. (3)

회사는 새로운 시장에 진입하기를 희망합니다.

s   v   o
<u>The climbers</u> *reached in* <u>the summit</u>. (3)

등산가들이 정상에 도착했다(들어갔다).

　　　　　S　　　　　　V　　　　　O
　　The swimmer *reached in* the finish line first. (3)

　　그 수영선수가 제일 먼저 결승선에 도착(손을 넣어)했다.

26) remember in ~ 을 기억하다

　　remember 와는 보다 상세하거나 특정 기억을 표현하고자 할 때 전치사 'in'을 붙인다. 대개 기억을 언급하기 때문에 그 내용이 단어 대신 문장(절)이 올 가능성이 매우 높다.

　　관계대명사에 대한 설명을 덧붙이자면 영어는 기본적으로 중요한 순으로 단어를 나열해서 문장이 완성되는 구조다. 그러므로 해당 단어를 먼저 언급하고 이 단어에 대한 설명을 뒤에 붙여서 한다. 바로 그 문장이 관계대명사가 이끄는 문장이다. 즉 어떤 단어를 추가로 설명하기 위한 덧붙이는 문장이다. 그 단어인 선행사의 혼동을 피하기 위해 확실히 하고자 하는 의미로 where, why, when, who, how 등이 사용되고 보통명사인 경우 'that'을 사용한다. 이때 그 선행사를 추가로 설명하기 위한 문장이 너무 확실하다면 관계대명사를 생략해도 좋다.

　　관계대명사가 선행사 없이 사용되었을 경우는 주절, 보어절, 목적절의 경우다. 즉 주어 대신 문장이 보어 대신 문장이, 목적어 대신 문장이 온 경우다. 4 형식의 제 2 목적어인 직접목적어(직접목적절)도 문장이 올 수 있다. 5 형식의 목적보어(목적보어절)도 문장으로 올 수 있다. 이 경우 모두 당연히 선행사가 없다.)

```
  S V                O
I remember in detail the day we first met. (3)
```

우리가 처음 만났던 그날의 자세한 것들이 생각나.

(*관계대명사 'that'이 'we' 앞에서 생략되었다. 즉 'the day'를 설명하는 문장이 왔다. 이처럼 너무나 명확한 시간인 경우 'when' 대신 관계대명사 'that'이 와도 된다.)

```
     S    V               O         S V
Can you remember in your heart the love we s
hared? (3, 3)
```

당신은 우리가 나누었던 당신 마음 속 사랑을 기억해?

(*관계대명사 'that'이 'we' 앞에서 생략되었다. 즉 'the love'를 설명하기 위한 문장이 온 것이다. 그러므로 'shared'의 목적어는 'the love'가 된다. 목적어를 또 한번 쓸 필요는 없을 것이다.)

```
 S     V                  O
He remembers in his dreams the beautiful scene.
(3)
```

그는 꿈 속에 있던 그 아름다운 장면을 기억합니다.

```
S V                    O       S V    O
I couldn't remember in my head where I left my
car key. (3(3))
```

나는 차키를 어디에 두었는지 머리 속에서 기억할 수 없어.

(*동사의 목적어로 'where 문장'이 왔다. 그래서 목적어 자리를 의미하는 '3'을 괄호 안에 넣었다. 즉 문장 속의 목적어 자리에 '3 형식' 문장이 들어있다.)

s　v
It *is* important to remember in our actions the
　　　　　　　　　　　　　　　s　v　o
values we *hold* dear. (2, 3)

우리의 행동에 들어있는 우리가 소중히 여기는 가치를 기억하는 것은 중요합니다.

(*관계대명사 'that'이 'we' 앞에서 생략되었다. 즉 관계대명사 문장은 앞의 'the values'를 설명하는 말이다. 이처럼 너무나 명확하게 앞의 단어인 선행사를 의미할 때는 관계대명사를 생략한다. 생략해서 의미 전달에 아무런 문제가 없고 혼동되지 않을 때는 생략하면 된다.)

v　o　oc　　　　　　　　　　　　　　　　s　v
Let's remember in our plans the goals we *set* for ourselves. (5, 3)

우리의 계획 속에 들어있는 우리 자신을 위해 설정한 목표들을 기억해 봅시다.

(*관계대명사 'that'이 'we' 앞에서 생략되었다. 즉 관계대명사 문장은 앞의 단어인 선행사 'the goals'를 설명하는 말이다.

*일종의 명령어(간접명령어라 함)이므로 주어 생략되었고 let이 사역동사이므로 to remember에서 'to'가 생략)

S V   O
<u>You</u> *should remember in* your mind <u>the reasons</u>
  S V   O
why <u>you</u> *started* <u>this journey</u>? (3, 3)

여러분은 왜 여정을 시작했는지 여러분 마음에 있는 그 이유들을 기억해야만 합니다.

(*'why' 관계대명사는 선행사 'the reasons'를 덧붙여 설명하고자 한다. 그러므로 관계대명사 'that'을 사용해도 무방하지만 'why'가 더욱 명확하다.)

S   V   O
<u>I</u> *will always remember in* my stories <u>the adventures</u> of my youth. (3)

나는 젊은 시절의 모험 속에 들어있는 나의 이야기들을 항상 기억하고 있을 겁니다.

27) return in ~ 의 상태로, ~ 가운데 돌아오다.

  return의 성격상 in 다음에 시간이 나올 가능성이 꽤 있지만 추상명사가 올 때는 어떤 상태나 상황을 의미한다.

S V O   OC
<u>I</u> *expect* <u>my father</u> <u>to return</u> in good health. (5)

나는 아빠가 좋은 건강태로 돌아오시기를 기대합니다.

S   V
<u>The students</u> *returned in* high spirits after the holidays. (1)

학생들은 휴일 후에 높은 정신으로(의기양양) 돌아왔다.

S　　　　V　　　　　　O
The package *is scheduled* to be returned in its original condition. (3)

그 짐은 원래의 상태로 돌아오도록 계획되어 있습니다.

직역; 그 짐은 일정이 되어있다. 이것의 원래 조건으로 돌아와서 존재하도록.

(*be+과거분사+전치사=동사'로 인식하는 것이 좋다. 여기서는 '돌아온 상태로 있도록'이 된다.)

　　　　　V　　　　S　　　　　　V
Please *ensure* the equipment *is returned in* working order. (3(1))

그 장비는 작업 순서대로 돌아오도록 확실히 해두세요.

(*관계대명사 'that'이 'ensure' 다음에 생략되었다. 앞의 선행사가 없으므로 'ensure'의 목적어로 문장(목적절)이 왔음을 알 수 있다.)

　S　　　　　V　　　O
The explorers *hope* to return in triumph with their discoveries. (3)

탐험가들은 자기들이 발견한 것들을 갖고 승리해서 돌아오기를 희망합니다.

　S　　　V
The key *returned in* the designated dropbox. (1)

열쇠는 지정된 드럽박스로 반환되었다.

S　　　　　　V
The borrowed car *must be returned in* the same condition. (1)

빌린 차는 반드시 같은 상태로 반납되어야 합니다.

28) run in ~ 상태에서 뛰다, 달리다, 경주하다, 경선하다, 작동하다, 운영되다, 진행하다.

　　run 은 매우 다양한 의미로 활용된다. 우리말로 흔히 어떤 일을 같이 도모할 때 '달려보자'라고 말하는데 영어에서도 비슷하게 사용된다. 선거운동이나 어떤 모임의 단체 행동 등에서 등등.

S　V　　　　O
I *will run in* the 10 km marathon next month. (3)

나는 다음달 10 km 마라톤을 뛸 거야.

　　S　　　　V
The athlete *ran in* the national championship. (1)

그 운동선수는 전국선수권대회에서 뛰었습니다.

　　S　　　　V
The car engine *runs smoothly in* cold weather. (1)

그 차는 추운 날씨에서 부드럽게 달립니다.

S　V　　　O
He *decided* to *run in* the local election. (3)

그는 지방 선거에서 입후보하기로 결정했다.

　S　　V
The app *runs in* the background. (1)

그 앱은 백그라운드(배경환경)에서 돌고 있습니다.

S   V
The play *will run in* the theater for a month. (1)

그 연극은 한달동안 그 극장에서 공연될 예정입니다.

S   V   O
The organization *plans* to run in the charity event. (3)

그 조직은 자선행사에서 활동하도록 계획하고 있습니다.

S   V
The software *can run in* various operating systems. (1)

그 소프트웨어는 다양한 운영체제에서 돌아갈 수 있다.

S   V
The film *will run in* theaters nationwide. (1)

그 영화는 전국적으로 상영될 것입니다.

S   V
The river *runs in* a meandering path through the forest. (1)

그 강은 숲 속을 통과하는 구불구불한 길을 흐릅니다.

(*through 는 '~ 쭉 통과한' 의미다.

We have been through.

우리는 서로 통한(겪어 온) 상태야.)

29) say in ~ 가운데서, 상태에서, 그 속에서 말하다, 언급하다, 쓰여있다, 공지하다.

say 다음에 오는 in 은 장소나, 모임, 단체, 행동 등을 주로 의미하지만 추상 명사가 올 때는 그 가운데, 상황 등을 표현한다.

s   v   o   s   v   c
The doctor *said in* the consultation that rest *is* essential for recovery. (3(2))

(*문장 속의 문장-여기서는 목적절)이 있을 때는 괄호 안의 괄호로 표시하였다.)

의사는 회복을 위해서는 휴식이 필수적이라고 상담 중에 말했다.

s   v   o   s
They *are saying in* their announcement that the
       v
event *is postponed*. (3(1))

그 행사는 연기되었다고 안내방송이 나왔다.

(직역; 그들은 말했다. 그들의 안내에서 .....)

(*안내방송이나 공고, 고지, 발표, 공표 등에서 주로 they say, they are saying, they said 라고 표현한다. 현재 안내가 되고 있다면 주로 현재진행형을 사용한다. 이럴 때는 'in their announcement'가 생략될 수 있다.)

s　　　　v　　　　　　　　　　　　　　　o　　s
My father *said in* the conversation that c
　　　　　　　　　v　 c
ommunication *is* key. (3(2))

아버지가 대화 중에 소통이 핵심이라고 말씀하셨다.

(*복문장의 경우 '주절과 종속절 시제가 일치해야 한다'는' 단정적인 문법은 위의 예와 같이 틀린 말이다. 내용에 따라 얼마든지 다를 수 있다. '그 내용과 일치하여야 한다'가 맞다. 관습, 속담, 명언 등은 언제나 현재형으로 표현한다.)

s　 v　　　　　　　　　　o　　s　　　　　　　　v
He *said in* the report that the research *is needed*. (3(1))

그는 연구가 필요하다고 리포트에서 언급했다.

s　　　　　　　　　v　　　　　　　　　　　　　　　　o
The spokesperson *said in* the press conference t
　　　 s　　　　　　　 v
hat the company *is expanding*. (3(1))

대변인이 그 회사는 지금 확장 중이라고 기자회견을 했다.

s　　　　 v　　　　　　　　　　　　　　　　o　　s
The CEO *said in* the press release that the
　　　　　　 v　　　　　o
company *values* innovation. (3(3))

그 CEO 는 보도자료를 통해 회사가 혁신을 중요시한다고 발표했다.

직역; 그 CEO 는 보도자료 안에서 말했다. 회사가 혁신에 가치를 부여하고 있다고.

220

(*위의 세 문장에서 시제는 일치하지 않는다. 관계대명사 안에 언급된 문장은 원래 그렇게 표기되었기 때문이다. 즉 복문장에서 각각의 문장은 시제가 얼마든지 다를 수 있다.)

s   v   o   s
The artist said in the exhibition that each
         v   o
painting tells a story. (3(3))

그 화가는 각각의 그림이 하나의 이야기를 표현한다고 전시회에서 말했다.

(*그림이나 사진에서 그 의미를 표현하고 있을 때 이처럼 현재형이나 현재진행형으로 표현한다. 아마도 그림이나 사진 속의 의미는 여전히 과거부터 지금까지도 그렇게 표현하고 있기 때문일 것이다. 앞으로도 그럴 것이다.)

30) see in ~ 속에 있는 것을, 그 안에서, 안쪽 상태에서.

'보다'라는 동사는 see, look, watch 가 있는데 대개 보는 시간의 길이에 따라 see < look < watch 로 볼 수 있다. see 는 거의 저절로 보이는 눈에 띄는 것에 가깝고 look 은 의도적으로 보는데 전치사를 뒤에 붙여 상세하게 보는 이유나 목적의 의미를 확장한다. (in-안을, into-안쪽으로 쭉, for-향해서, at-지점을, after-뒤를 등등... 단순하게 보면 이렇지만 내용적으로는 순서대로 조사하다, 들여다보다, 쳐다보다, 기대하다, 뒤를 쫓다(돌보다) 등으로 간단히 말할 수 있다.)

watch 는 영화나 TV 처럼 길게 보는 것을 의미한다.

Watch your step; 길게 내딛는 발을 보세요.

앞(발)을 조심하세요.

그러나 영화는 보통 'see'로도 많이 표현하는데 처음 영화가 나왔을 때는 몇 십 초, 혹은 몇 분으로 짧았으므로 표현하다가 굳어진 것으로 보인다.

find 는 가끔 '보다'라는 의미로 사용되지만 엄밀히 말하면 '발견하다'와 구별해서 사용하면 좋다.

예; 오는 길에 영화배우 이병헌 봤어(발견했어).

I found movie star '이병헌' on my way.

즉 우리가 '보다'라고 사용하지만 발견에 가깝다.

```
S V              O
I see in your eyes the spark of determination. (3)
```
나는 너의 눈 속에서 결의가 보여.

```
     S   V                  O
Can you see in the distance the outline? (3)
```
너는 멀리서 외곽선이 보여?

직역; in the distance 거리 속에서

```
S      V           O              OC
We can see in the data a clear pattern emerging. (5)
```
우리는 패턴이 나타나는 하나의 선명한 것을 볼 수 있다.

S　　　　　V　　　　　　　　　　O
The detective *sees in* in the evidence the key to solving the case. (3)

형사는 그 사건을 풀 핵심을 증거에서 봅니다.

S　V　　　　　　　　　O
I *see in* her smile the warmth of genuine kindness. (3)

나는 그녀의 미소에서 따스한 진정한 친절이 보입니다.

S　　V　　　　　　　　O
He *sees in* her words the sincerity of her intentions. (3)

그는 그녀의 말 속에서 그녀의 성실한 의도를 봅니다.

S　　V　　　　　　　　　O
They *see in* the collaboration a chance to achieve common goals. (3)

그들은 협동하는 가운데 공동의 목표를 달성할 기회가 보입니다.

31) send in ~ 어느 것을 보내다, 제출하다, 전달하다

　　　send 는 어떤 사물을 이동시키는 의미인데 send in 은 사물보다는 정보, 의견, 문서 등 행동이나 목적을 강조하려고 사용된다.

S V　　O
I *sent in* my application before the deadline. (3)

나는 마감 전에 내 이력서를 보냈어.

```
         v        o
Please *send in* your feedback by the weekend. (3)
```

주말까지 당신의 검토 사항을 보내주세요.

```
 s    v      o
We *decided* to send in the proposal. (3)
```

우리는 제안서를 보내기로 결정했다.

```
     s            v           o         oc
The company *encourages* employees to send in
their suggestions for improvement. (5)
```

회사는 직원들에게 증진을 위한 제안 사항을 보내라고 북돋아 주고 있습니다.

(*문장 5 형식은 '주어+동사+목적어+목적보어'다. 목적보어는 목적어를 설명하는 말이다. 형용사, 부사, 동사가 올 수 있다. 목적어에 대한 설명이다. 이때는 'to + 동사'인 부정사 형태로 오는데 see, watch, make, let 등 감각동사, 사역동사가 올 때는 'to'를 생략한다. 그러므로 위의 문장을 간단하게 핵심으로 줄이면

The company encourages employees to send.

이며 **in their suggestions** 는 다시 동사 **send in** 의 목적어다. '회사는 북돋아준다 직원들이 보내라고')

```
   s       v       o
The team *plans* to send in their report ahead of
schedule. (3)
```

그 팀은 일정보다 미리 그들의 보고서를 보낼 계획을 한다.

     v   o
Don't forget to send in your registration form for the event. (3)

행사를 위해 당신의 등록서 보내는 것을 잊지 마세요.

s v   c
It *is* important to send in your payment on time to avoid late fees. (2)

연체료를 내지 않으려면 제 시간에 지불서 보내는 것을(결제를) 하는 것은 중요합니다.

            v   o
Please *send in* your confirmation for attendance at the conference. (3)

컨퍼런스 참석 확인서를 보내주시기 바랍니다.

s   v   o
Customers can send in their inquires through the online contact form. (3)

고객들은 인터넷 접수 양식을 통해 주문서를 보낼 수 있습니다.

32) speak in ~ 속에서, 가운데서, ~으로

      말하는 환경이나 상태 등을 표현한다. 음성이나 어조 등을 나타내기도 한다. 주로 **speak** 가 자동사로 사용할 때 이렇게 상황을 설명한다.

      (*우리말의 '말하다'는 영어로는 **say, chat, talk, tell, speak** 등 여러가지가 있다. 각각 의미가 조금씩 다른데 일반적으로 보면

chat < say < talk < tell < speak 의 순으로 말의 길이가 다른 경향이 있다.

그냥 보통 우리가 말하고 대화하는 것은 say, 수다를 떠는 것은 chat, talk 는 좀 더 길게 말하므로 짧은 내용을 담고 있다. tell 은 좀 더 길어서 어떤 동화나 긴 이야기를 말하고자 할 때 사용한다. speak 는 아주 길게 말하므로 연설하는 것에 가깝다.

그러므로 'Can you speak English?'는 '영어로 길게 말할 수 있지요?'의 의미가 담겼다고 볼 수 있다.

만일 'Can you say English?'라고 말하면 '영어로 대화 정도는 되지요?' 의미가 되므로 보통 모르는 사람에게 말할 때는 약간 실례가 될 수 있다. 참고로 'scat'이라는 단어는 아무 내용 없이 아기가 중얼중얼, 칭얼칭얼 대거나 궁시렁거리 듯 알아듣기 어려운 말을 뜻하는데 재즈에서 가사 없이 흥얼거리는 것도 scat 이라고 한다.)

S   V
He *spoke in* a calm during the interview. (1)

그는 인터뷰를 하는 동안 차분하게 말했다.

주   V
T he spokesperson *spoke in* defense of the company's actions. (1)

대변인은 회사의 행동에 변호하는 태도로 말했다.

　　　　　ㄴ　　　　　　v
The diplomat *spoke in* fluent French. (1)

그 외교관은 유창한 불어로 연설했다.

s v
I *spoke in* a hushed voice during the meeting. (1)

나는 모임에서 조용한 목소리로 말했다.

　　　s　　　　　　　v
The children *spoke in* excitement about their upcoming field trip. (1)

아이들은 다가오는 견학에 대해 흥분해서 말했다.

　　　s　　　　　v
The actress *spoke in* Shakespearean language for the period drama. (1)

그 여배우는 시대극에서 셰익스피어의 언어로 말했다.

　　s　　　　　v
The coach *spoke in* motivational phrases to inspire the team. (1)

감독은 팀에 영감을 불어넣기 위해 동기가 되는 문구로 말했다.

　　　　s　　　　　　v
The radio host *spoke in* a lively manner to entertain the listeners. (1)

라디오 진행자가 청취자들을 즐겁게 하기 위해 활기찬 태도로 말했다.

s   v
Tour guide *spoke in* multiple languages to accommodate the diverse group. (1)

관광 가이드는 다양한 그룹을 수용하기 위해 여러 언어로 말했다.

33) suggest in ~ 을 제안하다, 제시하다

> suggest 는 일반적으로 두루 사용하는 제안의 의미이며 'in'을 붙이면 보다 상세하거나 강조하는 의미가 있다. 그러므로 구체적인 내용이나, 상황, 아이디어 등의 내용이 포함되는 경우가 많아 목적어 뒤에 이를 설명 내지는 보완하는 단어나 '구' 혹은 문장이 뒤에 나올 가능성이 매우 크다.

s   v   o   s
The teacher *suggested in* the lesson plan that s
       v   o
tudents *collaborate* on the project. (3, 3)

선생님은 학생들이 프로젝트를 하며 협동하는 수업 계획을 제안했다.

s v   o   s v   o
I *suggested in* the conversation that we *try* the new restaurant. (3, 3)

나는 우리가 새로운 식당을 시도해보는 대화를 제안했다.

        s   v   o   s
The doctor *suggested in* the appointment that I
v   o
adopt a healthier life style. (3, 3)

의사는 좀 더 건강해지는 삶의 방식을 내가 적용하는 약속을 제시했다.

S   V   O
She *suggested in* the brainstorming session that
S   V   O
we *explore* innovative ideas. (3, 3)

그녀는 우리가 혁신적인 아이디어를 탐구해보는 심도 깊은 회의를 제안했다.

S   V   O
The consultant *suggested in* the presentation
                     V   O
that the company *focuses on* customer satisfaction. (3, 3)

고문은 회사가 고객 만족에 집중하는 발표를 제시했다.

S   V   V
The manager *suggested in* the team meeting that
S   V   O
we *implement* a new workflow. (3, 3)

부장님은 우리가 새로운 작업과정을 이행하기 위한 팀 미팅을 제안했다.

S   V   O
The travel agent *suggested in* the itinerary that
S V   O
we *visit* historical landmarks. (3, 3)

여행사는 우리가 역사적으로 상징적인 건축물을 방문하는 여행 일정을 제안했다.

```
  S              V            O              S
The professor suggested in the lecture that s
              V
tudents participate in class discussions. (3, 1)
```

교수님은 학생들이 학급 토론에 참여하는 강의를 제안했다.

```
  S               V            O
The survey results suggested in the analysis that
  S                    V  C
customer satisfaction is high. (3, 2)
```

그 조사 결과들은 고객 만족이 최고라는 분석을 제시했다.

34) talk in ~ 안에서 말하다, 속에서, 관해서, 하도록.

talk는 say보다는 길게 '말하다'의 의미다. 주로 자신의 경험이나 일과 등 소소한 이야기를 주고받기 보다는 혼자서 소개하는 또는 말하고 싶은 내용들이다. 영어책을 많이 읽고 어떤 상황에서 주로 talk를 사용하는지 주목하면 좋다.

```
 S    V         O
He talked in great detail about his recent trip to
Europe. (3)
```

그는 최근 유럽 여행에 관한 아주 상세한 이야기를 해줬다.

```
  S     V       O
They talked in code to keep the conversation
confidential. (3)
```

그들은 비밀 대화를 지키려고 암호에 대해 말했다.

```
 S   V
We talked in excitement about our weekend plans.
```

(1)

우리는 주말 계획에 대해 흥분해서 말했다.

S V
He _talked in_ a low voice to avoid disturbing others.
(1)

그는 다른 사람들이 방해받지 않게 낮은 목소리로 말했다.

35) think in ~ 속(안)에서 생각하다.

 'think'가 무엇을 생각하는 것의 의미가 있다면 'think in'은 생각하는 방식이나 방법 혹은 언어 등을 나타낸다.

S   V   O
The artist _thought in_ color and form when creating the masterpiece. (3)

예술가는 대표작을 생각할 때 색과 형태를 생각했다.

S   V   O
The philosopher _thought in_ abstract concepts to explore new ideas. (3)

그 철학자는 새로운 아이디어를 탐구하기 위해 추상적 개념을 생각했다.

S V   O
He _thought in_ innovative ways to solve the complex problem. (3)

그는 복잡한 문제를 풀기 위해 혁신적인 방법들을 생각했다.

S   V   O
The musician _thought in_ harmony and melody

while composing the song. (3)

음악가는 노래를 작곡하는 동안 화음과 멜로디를 생각했다.

S   V   O
The CEO *thought in* the long-term vision for the company's success. (3)

CEO는 회사의 성공을 위해 장기적인 비전을 생각했다.

S   V   O
The architect *thought in* three dimensions to visualize the structure. (3)

건축가는 구조를 형상화하기 위해 3차원 구조를 생각했다.

S   V   O
They *thought in* terms of sustainability when planning the project. (3)

그들은 프로젝트를 계획할 때 지속가능성의 조건을 생각했다.

(*원래 when ~ 문장은 'when they are planning the project'다. 이렇게 주절과 종속절의 주제와 시제가 같고 종속절이 when이나 while이 이끄는 문장이 올 때 주어와 시제를 생략해도 좋다.)

36) understand in ~ 무엇을 이해하다, ~ 속(안)에서 이해하다.

    understand와 차이가 약간 있지만 대부분은 전치사 'in'을 사용하지 않아도 된다. 보다 구체적인 상황이나 문맥 등을 설명하거나 강조하고 싶을 때 사용한다.

S   V   O
He *understood in* the complex academic lecture. (3)

그는 복잡한 학술강의를 이해했다.

S   V   O   OC
She *helped* the students understand in the difficult concept. (5)

그녀는 학생들이 어려운 개념을 이해하는 것을 도왔다.

(*이 문장은 5형식으로 목적어와 목적보어를 갖는다. 목적보어는 목적어를 설명하는 말로써 여기서는 동사가 사용되었다. 즉 'the students understand 학생들이 이해하도록'. help 동사 뒤에 오는 동사에서 'to'를 생략하였다. help 동사 뒤에 오는 부정사에서 'to' 생략해도 된다.)

S   V
They *worked* together to understand in the nuances of the problem. (1)

그들은 그 문제의 뉘앙스를 이해하려고 함께 일(노력)했다. (종종 '공부하다'의 의미로도 사용된다.)

S   V
The guide *explained* patiently to help tourists understand in the historical context. (1)

가이드는 관광객들이 역사적인 문구를 이해하는데 도움이 되도록 참을성 있게 설명했다.

(*위의 문장에서 설명한 바와 같이 'help' 뒤에 나오는 동

사에서 'to'를 생략하고 'understand'만 썼다.)

S   V   O
The manager *provided* additional training to help employees understand in the new software.

부장은 직원들이 새로운 소프트웨어를 이해하는데 도움을 주기 위한 추가적인 훈련을 마련했다.

(*help 뒤에 오는 'to 동사'에서 'to'를 생략해도 된다.)

37) wait in ~ 안(속)에서, 하면서, 기다리다.

    wait in 다음에는 장소가 올 가능성이 높다. 그러나 추상명사나 보통명사가 오면 '~ 하면서' 의미로 보면 된다. 생각해보면 직역해도 그 의미가 결국 동일하다.

S   V
The students *waited in* anticipation for the exam results. (1)

학생들이 시험 결과를 예상하면서(속에서) 기다렸다.

S   V
The children *waited in* excitement for the school bus. (1)

아이들이 스쿨버스를 신나서 기다렸다.

S   V
We *waited in* silence for the verdict. (1)

우리는 평결을 위해 침묵 속에서 기다렸다.

38) want in ~에 속하고, 참여하고, 동참하고 싶다.

want 보다는 구체적으로 어떤 활동이나 조직 등에 속하기를 원하는 의미가 강하다. 그래서 보통

want in on ~이 주로 사용된다.

```
S   V        O
```
I *want in* on the exciting new project at work. (3)

나는 회사에서 재미난 새 프로젝트에 있고 싶다.

직역; 흥분된 새 프로젝트 위에서 안에 있고 싶다.

```
S     V       O
```
They *want in* on the game. (3)

그들은 게임에 들어가고 싶어한다.

```
S    V         O
```
He *wants in* on the decision-making process for the team. (3)

그는 팀을 위해 의사결정 과정에 들어가기를 원한다.

```
S    V        O
```
She *wants in* on the plan for the upcoming event. (3)

그녀는 다가오는 행사를 위한 계획에 포함되고 싶다.

```
S              V         O
```
The residents *want in* on the neighborhood association's activities. (3)

거주자들은 이웃모임의 활동에 들어가기를 원한다.

S　　V　　　O
They *want in* o n the conversation about environmental conservation. (3)

그들은 환경 보존에 관한 대화에 참가하기를 원합니다.

39) watch in ~ 속(안)에서 지켜보다, 쳐다보다.

'in' 다음에 추상명사가 오면 '~ 가운데, ~ 상태에서' 등의 의미를 갖는다.

(*watch 는 see 보다 길게 look 보다 더 길게 쳐다보고 쭉 지켜보는 의미가 강하다.

I watch TV every night.

나는 매일 밤 TV를 봐.

He watches the kids playing.

그는 아이들이 놀는 걸 보고 있습니다.)

　S　　V　　　　　　　　　　　S　　　　　V
We *watched in* amazement as the fireworks *lit up* the sky. (3(1))

우리는 하늘을 밝히는 불꽃놀이를 놀라움으로 쳐다보고 있었다.

(*앞의 문장 watched in 의 목적어 문장(목적절)이 as 가 이끄는 문장이므로 문장 속의 문장이 와서 괄호 안으로 표시하였다.

We watched in as 문장이 주요 문장이다.)

236

```
 S    V              O
```
He *watched in* horror a car accident. (3)

그는 자동차 사고를 공포 속에서 지켜보았다.

```
   S      V              S     V
```
The cat *watched in* curiosity as the birds *cried*.
(3(1))

고양이가 새들이 우는 것을 호기심으로 쳐다보고 있었다.

(*앞의 문장 'watched in'의 목적어가 as 가 이끄는 문장 즉 목적절이다. 문장 속에 문장이 있다고 하여 괄호 안으로 표기하였다.)

```
 S     V                          O        S
```
They *watched in* satisfaction as the project they
```
 V        V
```
worked on was successfully completed. (3(1(1)))

그들은 그들이 진행하고 있는 프로젝트가 성공적으로 완성된 것을 만족하게 지켜보고 있었다.

(*앞 문장 'watched in'의 목적어 문장이 as 가 이끄는 문장 즉 목적절이다. 그런데 이 문장의 주어는 'project'이며 동사는 'was ... completed'이다. 그리고 'project'를 덧붙여 설명을 보완하는 문장이 관계대명사 'that'이 'they' 앞에 생략된 문장인데 이 문장의 주어는 'they'이며 동사는 'worked on'이다.

즉 They watched in ~~

   the project was successfully completed

   they worked on

이렇게 3 개의 문장으로 구분할 수 있다.)

　　　　　s　　　　　v　　　　　　　　　　　　　s
The Korean fans *watched in* disappointment as t
　　　　　　　　　　　　　　　　　　　　　　s
he Korean national football team which S on
　　　　　　　v　　　v　　o
Hong-min *plays* for, *lost* the championship game.

(3(3(1)))

한국 축구팬들은 손흥민 선수가 뛰고 있는 한국 국가대표 축구팀이 챔피언 결승 경기에서 지고 있는 걸 실망감으로 지켜보았다.

(*The Korean fans 가 주어이며 동사가 watched in 의 목적어는 as 이하 문장 즉 as 이하 목적절이다.

그 목적절의 주어는 the Korean national football team 이며 동사는 뒤에 있는 'lost'이다. 물론 'the championship game'이 'lost'의 목적어다.

그리고 which 이하 문장은 앞의 the Korean national … team 을 설명하기 위한 추가로 덧붙인 문장(관계대명사 which 가 이끄는 절)이다.

이 which 문장의 주어는 '손흥민'이고 동사는 'plays – 뛰는'이다.

그래서 문장 속의 문장이기 때문에 3(3)으로 표시했고 다시 그 (3)의 문장 속에 문장이 있기 때문에 (3(1)) 1형식 문장인 which 문장을 표시한 것이다.

즉 이 문장을 세분화하면

The Korean fans watched in ~~ 문장

the Korean national football team lost the championship 문장

Son Hongmin plays for 문장

3개로 나눌 수 있으며

여기서 for 는 관계대명사 which 선행사인 the Korean national football team 을 의미한다.

즉 한국 국가축구팀을 위해 뛰는(운동을 하는) 의미다.)

2-3 동사 + 목적어 + in

동사와 전치사 사이에 목적어가 존재하는 경우로 이 때 전치사는 마치 형용사나 부사와 같은 역할로 보인다.

1) carry ~ in ; ~에 넣다, ~에 넣어 휴대하다, 운반하다

(*carry 운반하다, 나르다, 휴대하다, 소지하다의 뜻을 갖으며 전치사 in 을 추가하면서 ~에 넣어서 운반하다, 소지하다의 뜻으로 의미가 확대된다.)

S V O
I *carried* the groceries *in*. (3)

나는 식료품을 갖고 다녔어요.

S V O
He *carried* the books *in* the bag. (3)

그는 가방에 책을 넣고 다녔다.

(*위의 모든 문장들은 'carry in + 명사'의 순서로 사용해도 무방하다.)

S V O
The delivery person *carried* the package *in*. (3)

배달원이 소포를 운반했다.

S V O
They *carried* the painting *in* carefully. (3)

그 사람들이 그림을 조심스럽게 넣어서 운반했다.

S V O
The athlete *carried* the trophy *in* proudly. (3)

그 운동 선수는 자랑스럽게 트로피를 지니고 있었다.

2-4 동사 + 목적어 1(A) + in + 목적어 2(B)

이 경우 'A'가 'B'에게 혹은 'B'가 'A'에게 어떤 작용을 한다. 우리가 약간 헷갈리는 경우인데 한국어는 조사나 어미 변화 때문에 순서를 바꾸어도 말이 통하지만 영어는 그 속성이 중요한 순서이므로 중요한 것을 'A'라고 보면 된다. 즉 목적어1(A)가 목적어2(B)에 영향을 미친다고 볼 수 있다.

문장에서 보면 'in' 뒤에 오는 명사로 볼 때 매우 부사적인 기능을 갖는다. 그래서 보통 '부사구'라고도 한다. 하지만 해석을 하거나 영작을 할 때 이렇게 동사 다음에 'in' 같이 사용하는 숙어처럼 보는 것이 공부에 도움이 되고 'in'의 활용성이 확실하게 보인다.

확실히 장소나 시간을 의미하는 명사만 제외하고 예를 들었다.

1) add A in B ; B에 A를 추가하다.

  s   v   o
You *should add* your thoughts *in* the discussion. (3)

토론에서 당신의 생각을 추가해보세요.

  s   v   o
The artist *added* a signature *in* the corner. (3)

화가가 코너에 사인을 추가했다.

 s   v   o
He *adds* more examples *in* the report. (3)

그는 보고서에 더 많은 예제들을 추가합니다.

```
     S         V         O
The musician added a beautiful melody in the song. (3)
```

음악가는 노래에 아름다운 멜로디를 추가했습니다.

2) allow A in B ; B에 있어 A를 허용하다.

```
    S         V         O
The teacher allowed extra time in the exam. (3)
```

선생님은 시험 시간에 추가 시간을 허용했다.

```
  S    V      O
Can you allow changes in the schedule? (3)
```

일정을 변경해주실 수 있을까요?

(*changes 복수형이 맞다. 일정 중에 여러 변경 사항을 의미한다. 만일 딱 한가지만 변경한다면 'a change'가 맞다.)

```
   S      V       O
The CEO allows diversity in the workplace. (3)
```

그 CEO는 직장에서 다양성을 허용하고 있습니다.

```
    S       V        O
The policy allows exceptions in certain cases. (3)
```

그 정책은 어떤 경우에는 예외를 허용하고 있습니다.

```
    S       V         O
The system allows customization in the settings. (3)
```

시스템은 설정에서 사용자 정의를 허용합니다.

s v   o
NETFLIX *allows* **login** *in* multiple devices. (3)

넷플릭스는 여러 디바이스(기기)에서 로그인을 허용합니다.

3) cut A in B ; B 안에다 두고 A를 잘라라

(*영어는 기본적으로 중요한 단어를 앞에 위치한다. 그러므로 여기서도 ~을 먼저 자르라고 표현하며 그 뒤에 어떻게, 어디서 'cut'하는 지를 나열한다.)

    v o
Please *cut* the paper *in* a straight line. (3)

종이를 직선(안에서) 자르세요.

s   v o
The tailor *cut* the fabric *in* the pattern for the dress. (3)

재단사가 옷을 위해 무늬대로 옷감을 잘랐다.

직역; 재단사가 옷을 위해 무늬 속에서 옷감을 잘랐다.

s   v   o
The barber *cut* your hair *in* the style you requested.

이발사가 네가 요청했던 그 스타일로 너의 머리를 잘랐어.

(*in the style; 그 스타일로, 'the'를 빼면,

in style; 멋지게 You look in style. 너는 멋져 보여.)

```
S V      O
```
I can *cut* the cake in equal portions for everyone. (3)

나는 모두를 위해서 같은 비율로 케이크를 자를 수 있어.

```
S              V        O
```
The filmmaker *will cut* a scene *in* the final edit of the movie. (3)

제작자가 영화의 마지막 편집에서 한 씬을 잘라낼 거야.

```
S           V        O
```
The jeweler *would cut* the diamond *in* the desire shape. (3)

그 보석상이 바라는 모양대로 보석을 잘랐을 거에요.

4) feel A in B ; B 가운데(속)에서 A를 느끼다.

```
S V   O
```
I *feel* a sense of accomplishment *in* completing the challenging project. (3)

나는 도전 프로젝트가 완성하는 가운데 성취감을 느낀다.

```
        S            V      S   V    C
```
As the music *played*, he *felt* immersed in the rhythm and melody. (1, 2)

음악이 연주되자 그는 리듬과 멜로디에 몰입됨을 느꼈다.

(* as, when, while은 우리말로는 '~ 동안'이지만 영어

로는 사용하는 방법에 약간의 차이가 있다.

When the music played... '그 음악이 연주되었을 때'

이 문장은 '음악이 연주되는 그 때'의 시간을 의미하고,

As the music played... '음악이 연주되고 있으면서'

연주와 관계되는 동작이 동시에 일어남을 표현한다.

While the music played... '음악이 연주되는 동안'

동시에 다른 행동이 일어나고 있을 때 사용한다. 하지만 '~ 동안'이라고 하면 대개 진행중인 상태를 의미하므로 주로 진행형을 사용한다.

While the music was playing.. (과거라면)

한가지 더....

Playing the music.... 이 문장도 '음악을 연주하면서, 음악이 흐르면서' 의미하지만 반드시 뒤에 오는 주어 즉 주체가 같아야 한다.)

    s   v   o
<u>The students</u> *feel* p<u>ride</u> *in* their achievements throughout the academic year. (3)

학생들은 학년을 마치고(통과하고) 그들의 성취감에 자부심을 느낍니다.

  s   v   o
<u>We</u> *feel* <u>gratitude</u> *in* the support received from friends and family. (3)

우리는 친구나 가족으로부터 받는 지원 속에서 감사하는 마음을 느낍니다.

5) offer A in B ; B를 위해 A를 제공하다, 제안하다.

    S   V   O
They *offered* help *in* completing the project. (3)

그들은 프로젝트를 끝내기 위해 도움을 제공했다.

(*이 문장은 사실 'in'을 'for'로 사용해도 무방하다.)

     S   V   O
The university *offered* a scholarship *in* recognition of her achievements. (3)

대학은 그녀의 성취를 알고 장학금을 제공했다.

     S   V   O
The restaurant *offered* a special menu in celebration of the anniversary. (3)

식당은 기념 축하를 위해 특별한 메뉴를 제공했다.

 S V   O
He *offered* his expertise *in* solving the problem. (3)

그는 문제를 풀기 위해 그의 재능을 제공했다.

    S   V   O
The team *offered* cooperation *in* achieving common goals. (3)

그 팀은 공동의 목표 달성을 위해 협동을 제안했다.

6) provide A in B ; B에 있어서 A를 제공하다, 준비하다, 마련하다, 공급하다.

　　　s　　　　　v　　　　　　o
The company will provide assistance in the relocation process. (3)

회사는 재배치 처리를 위해 보조를 제공할 것입니다.

　　　s　　　　　　v
The foundation works to provide funding in medical research. (1)

협회는 의료연구를 위해 기금을 제공을 하려고 일을 한다.

　　s　　　　v　　　　o
The hotel provides discounts in group bookings. (3)

호텔은 단체 예약에 할인을 제공하고 있습니다.

　　s　　　　v　　　　o
The app is designed to provide convenience in task management. (3)

그 앱은 작업관리에 편리함을 제공하기 위해 설계되었다.

　　　s　　　　　v　　　o
The government needs to provide security in public spaces. (3)

정부는 공공의 공간에서 안전을 제공할 필요가 있다.

　　s　　　　v　　　o
The platform provides updates in real-time. (3)

플래폼은 실시간으로 업데이트를 제공한다.

S   V   O
The museum *provided* information *in* historical exhibits. (3)

박물관은 역사전시물에 정보를 마련했다.

7) require A in B ; B 속에 들어있는, B에 관한, B에 대한 A를 요구하다.

보통 B는 추상명사가 많다. 동사 '요구하다'는 'require'의 성격상 시간이나 장소보다는 추상명사가 올 가능성이 매우 높다고 볼 수 있다.

S   V   O
The job *requires* expertise *in* data analysis. (3)

그 직업은 데이터 분석에 관한 전문성을 요구한다.

S   V   O
The project *requires* skills *in* software development. (3)

그 프로젝트는 소프트웨어 개발에 관한 기술을 요구한다.

S   V   O
Success often *requires* persistence *in* the face of challenges. (3)

성공은 가끔 직면한 도전 가운데에서 생존을 요구한다.

S   V   O
The experiment *requires* accuracy *in* recording observations. (3)

그 실험은 관찰 기록에 있어 정확성을 요구합니다.

     s   v   o
The new position *requires* experience *in* project management. (3)

그 새로운 자리는 프로젝트 관리에 있어 경험을 요구한다.

      s   v   o
The assignment *requires* teamwork *in* achieving the goals. (3)

그 과제는 목표를 달성하는데 팀 협동작업을 요구한다.

     s   v   o
The sport *requires* discipline *in* training and practice. (3)

스포츠는 훈련과 연습이라는 규율을 요구한다.

         s   v   o
Leadership roles often *require* charisma *in* inspiring others. (3)

리더십의 역할은 가끔 다른 사람들에게 영감을 주는 카리스마를 요구한다.

    s   v   o
The task *requires* innovation *in* finding solutions. (3)

그 과업은 해결책을 찾는데 있어 혁신을 요구한다.

8) take A in B ; B 가운데서 A를 얻다, 생기다, 취하다

take는 매우 다양한 의미를 갖고 있다. 기본적으로는 소유하게 되는 의미인데 그 소유의 기간이나 내용이 짧고 약하다.

'소유하다'는 의미로는 take, get, have 세가지가 비슷한 의미지만 그 소유기간이나 확실함에서 차이가 난다.

take < get < have로 볼 수 있는데 세 단어의 차이를 참고로만 보기 바란다. (필자 개인 견해)

I took the new mobile phone S24.

새 휴대폰 S24 내가 가져갔어.

I've got a new mobile phone S24.

난 새 휴대폰 S24가 생겼어.

I have a new mobile phone S24.

난 새로운 휴대폰 S24를 갖고 있어.

S V   O
He *took* pl<u>easu</u>re in exploring new cultures. (3)

그는 새로운 문화를 탐구하면서 기쁨이 있었다.

S   V   O
The athlete *took* p<u>ride</u> *in* achieving a personal best in the marathon. (3)

그 선수는 마라톤 개인 최고 달성으로 자신감이 생겼다.

S   V O
The students *took* part *in* a debate competition. (3)

학생들은 토론 경쟁에 참여했다.

직역; 학생들은 토론 경쟁의 부분을 가졌다.

(*take part in ~에 참가하다, 직역; 안의 ~부분을 갖다)

   ㄴ   V   O
The chef *took* joy *in* preparing a special dish for the guests. (3)

요리사는 손님들을 위한 특별 오래를 준비하면서 기쁨을 누렸다.

S   V   O
The team *took* satisfaction *in* completing the project ahead of schedule. (3)

그 팀은 일정보다 당겨서 그 프로젝트를 완성해서 만족감을 얻었다.

S   V   O
The CEO *took* advantage *in* negotiating a better deal for the company. (3)

CEO는 회사를 위해 어 나은 거래를 협상하면서 유리함을 얻었다.

S   V   O
The children *took* diligent *in* building sandcastles at the beach. (3)

아이들이 해변에서 모래성을 쌓으면서 부지런을 떨었다.

S   V   O
The couple *took* comfort in spending quality time together. (3)

그 연인은 함께 좋은 시간을 보내면서 편안함을 얻었다.

9) use A in B ; B 안(속, 상태)에서 A를 사용하다, 이용하다, 발휘하다.

S V O
<u>She</u> *used* <u>expertise</u> *in* the field to solve the problem. (3)

그녀는 그 문제를 풀기 위해 그 분야의 전문성을 사용했다.

S V O
<u>The chef</u> *used* <u>creativity</u> *in* preparing the unique dish. (3)

요리사는 특별한 요리를 준비하면서 창의성을 발휘했다.

(*unique ; 유일한, 하나 밖에 없는. 즉 특별한)

S V O
<u>They</u> *used* <u>teamwork</u> *in* completing the project. (3)

그들은 프로젝트를 완성하기 위해 팀워크를 발휘했다.

S V O
<u>She</u> *used* <u>confidence</u> *in* delivering the presentation. (3)

그녀는 자료를 발표하기 위해 자신감을 가졌다.

S V O
<u>The engineer</u> *used* <u>technology</u> *in* developing the advanced software. (3)

엔지니어는 향상된 소프트웨어를 개발하기 위해 기술을 이

용하였다.

S   V   O
The musician *used* *passion* *in* composing the soulful melody. (3)

음악가는 소울이 가득한 멜로디를 작곡하기 위해 열정을 발휘했다.

S   V   O
The writer *used* *imagination* *in* creating the fictional world. (3)

작가는 가공의 세계를 창조하기 위해 상상력을 발휘했다.

2-5   in을 사용한 부사구의 다양한 예문

- in + 명사 = 부사구

부사구는 전치사와 다른 단어가 합쳐져 하나의 단어로 부사로 활용되는 경우를 말한다. (*단어처럼 활용되면 '구'라고 하고 문장 속의 문장은 '절'이라고 한다.)

'in my way'는 영어로 직역하면 '내 길 안에 있다'지만 의역하면 '내가 하는 일 안에서'의 의미로 긍정적이기 보다는 뭔가 문제가 있을 때 혹은 자신만의 스타일을 주장하거나 등에 사용된다.

There is a big thing in my way.

내 길에 뭔가 큰 게 놓여있어.

They are always in my way.

그것들은 항상 나에게 방해가 돼.

직역; 그것들은 내 안에서 항상 존재해

My son likes to do things in his way.

내 아들은 자기 방식대로 하고 싶어해.

'in'을 사용한 다양한 예문을 참조하기 바란다.

1) in 을 장소나 위치로 활용한 부사구

I am walking <u>in the middle</u> of Seoul.
나는 서울 한복판을 걷고 있는 중이야.
My parents live <u>in a small town</u>.
우리 부모님은 작은 마을에 살고 계셔.
My son hid the key <u>in the drawer</u>.
우리 아들이 서랍 속에 열쇠를 감췄어.
The store is <u>in the Starfield shopping mall</u>.
그 가게는 스타필드 쇼핑몰 안에 있어요.
Let's see <u>in the office</u> tomorrow.
우리 내일 사무실에서 만납시다.
The playground is <u>in the neighborhood</u>.
놀이터는 이웃에 있어.
They sat <u>in the shade</u> of the tree.
그들은 나무 그늘 안에 앉아있다.

2) in 을 시간으로 활용한 부사구

He was born <u>in February</u>.

그는 2월생입니다.

(*구체적으로 날짜까지 언급될 때는 'on'을 사용한다.

   He was born on February 23rd

    그는 2월 23일생이다.

그렇다고 in Sunday 는 맞지 않다. on Sunday 라고 해야 한다. 어떤 특정한 날짜나 요일에 어떤 일이나 행동을 할 때는 'on'을 사용해야 한다.

   I will see you on Sunday. 일요일에 너를 볼 거야.)

I'll be <u>in a few minutes</u>.

몇 분 안에 갈게(있을 게).

I will be there <u>in the afternoon</u>.

나는 거기 오후에 도착할 거야.

직역; 나는 있게 될 거야, 거기에 오후에

He has a deadline <u>in a week</u>.

그는 마감일까지 일주일이 남았다.

직역; 그는 마감일을 가지고 있다. 일주일 안에

The train will arrive in a few hours.

기차는 몇 시간 안이면 도착할 거야.

The course begins in the fall semester.

그 과정은 가을 학기에 시작합니다.

The event is planned in the coming months.

그 행사는 몇 달 안으로 계획되었습니다.

3) in 을 이용 동작 의미로 활용한 부사구

We are confident in our abilities.
우리는 우리의 능력을 믿는다.
(*우리 능력이 하나라면 in our ability 라고 표현한다.
  abilities 라고 하지 않는다.)

My son is interested in learning new languages.
우리 아들은 새로운 언어를 배우는데 관심이 있어.
She is skilled in playing the piano.
그녀는 피아노 연주에 있어서 기교가 있습니다.
He is diligent in his studies.
그는 자기 연구들에 있어 부지런합니다.
The artist is creative in his approach.
그 예술가는 자기의 접근 방식에 있어 창조적입니다.
They are united in their efforts.
그들은 노력에 있어 단결되어 있어요.
He is charismatic in his leadership style.
그는 리더쉽(지도력) 스타일에 카리스마가 있어요.
My mom is compassionate in helping others.

우리 엄마는 남들을 돕는데 있어서 인정이 많습니다.

She is graceful in her movements.

그녀는 행동들이 우아합니다.

They are devoted to helping those in need.

그들은 도움이 필요한 사람들을 돕는데 헌신한다.

(*to helping 은 'to + 부정사'로 사용되지 않았다. 여기서는 'to'는 '~을 직접적으로 향하다'의 뜻으로 사용되었다. 그러므로 어떤 행동을 향해서 '헌신하므로' 'to ~ing'가 적절하다.

I am looking forward to hearing from him.

나는 그로부터 소식을 기대하고 있습니다.

직역; 나는 기대하는 중이다(look forward) 듣는 것을(hearing)직접 향해서 'to')

4) 그 밖의 in 을 활용한 부사구

I excel in mathematics.
나는 수학을 잘해.

The company specializes in software development.
그 회사는 소프트웨어 개발에 전문화되어 있습니다.

The book is engaging in its storytelling.
그 책은 이야기 전달 방식이 탁월해요.

The solution is optimal in its efficiency.
그 해결책은 자신의 효율성에 있어 최적화되어 있습니다.

I am adaptable in different situations.
나는 다른 상황들에 적응합니다.

The technology is cutting-edge in its design.
그 기술은 자신의 설계에 있어 최첨단입니다.

He is immersed in the world of science fiction.
그는 공상 과학의 세계에 몰입되어 있다.

She is absorbed in the process of creating art.
그 여자는 예술을 창조하는 과정에 몰두하고 있다.

부록 영어동사 16가지 시제의 예

시제	영어	한국어
현재	I look for her	나는 그녀를 찾습니다.
현재진행	I am looking for her	나는 그녀를 찾고 있는 중입니다(
	*가끔은 확정되고 곧 실현될 미래 즉 이미 마음을 먹은 상태일 때도 사용	
과거	I looked for her	나는 그녀를 찾았습니다.
과거진행	I was looking for her	나는 그녀를 찾고 있는 중이었습니다
현재완료	I have looked for her	나는 그녀를 쭉 찾고 있는 상태입니다
	*현재 어떤 상태가 지속되는 상황에 사용	
과거완료	I had looked for her	나는 한때 그녀를 찾은 적이 있었습니다
	*과거 한 때 상태가 지속되고 있는 상황이었다.	
미래	I will look for her	나는 그녀를 찾을 것입니다
미래진행	I will be looking for her	나는 그녀를 찾고 있는 중일 것입니다 (꼭 찾을 것입니다)
	*확정된 미래에 사용된다. '꼭 ~할 것이다'의 뜻으로 사용	
현재완료진행	I have been looking for her	나는 그녀를 엄청 찾아 헤맸습니다 (오로지 찾기만 했다는 과장된 표현)
	*과장된 표현. 현재진행이 계속 지속되고 있는 상황 I am looking for her. 문장에서 'am'을 완료형으로 했다. ~ have been ~	
과거완료진행	I had been looking for her	나는 한때 그녀를 엄청 찾아 헤맸습니다
	*현재완료진행과 마찬가지 개념으로 지금은 아니고 과거 한 때 그런 상황이 지속되고 있었다는 과장된 표현. I was looking for her. 문장에서 'was'를 과거완료형으로 표현 ~ had been ~	
미래완료	I will have looked for her	나는 한동안 그녀를 찾을 것입니다

미래 완료 진행	*미래 어느 시점에서 한동안 상태가 지속될 때 사용 I will have stayed in NY for 3 years. 뉴욕에서 3년간 있는 상태가 될 거야.	
	I will have been looking for her	나는 한동안 그녀를 찾는 것만 할 것입니다
	*위 문장의 예제로 보면 '뉴욕에서 3년간 처박혀 있게 될 거야'와 같이 과장된 표현을 할 때 사용.	
가정법 과거	I would look for her	나는 그녀를 찾았을 겁니다
	*과거에서 미래를 말할 때 주로 사용 ~ should ~ 나는 그녀를 찾아야만 했습니다. ~ could ~ 나는 그녀를 찾을 수 있었습니다. ~ might ~ 나는 그녀를 찾았을 지도 모릅니다. *전부 실제는 그렇게 하지 않았다는 의미. 즉 가정해서 말하는 것. I would like to drink something. 실제로는 '뭔가를 마셨으면 좋았을 텐데'의 의미로 과거처럼 보이지만 지금도 현재 그렇다는 의미로 종종 사용. 그러면 표현이 훨씬 완곡하다. 그래서 정중한 표현이 됨.	
가정법 과거 완료	I would have looked for her	나는 한동안 그녀를 찾았을 겁니다
가정법 과거 진행	I would be looking for her	나는 그녀를 찾고 있는 중이었을 겁니다
가정법 과거 완료 진행	I would have been looking for her	나는 한동안 그녀를 엄청 찾아 헤매고 있었을 겁니다
	*완료진행형이므로 지속되고 있는 상태를 과장되어 표현할 때 사용	

● 가정법은 먼저 'if'가 아닌 'would, should, could, might'를 먼저 잘 이해하여야 한다.